O texto objetivo e bem ~~~~~~~~~~~ ~~~~~~~~
siasmo de Rivanildo pe~~~~~~~~~~~~~~~~
a aceitar seu convite para conhecer e entender a importância que a Bíblia teve ao longo da história e tem para nós hoje. Numa era de tantos questionamentos e incertezas, precisamos de textos como este, que nos encorajem a olhar novamente para as Escrituras com o coração aberto para a revelação de Deus.

ANA LÚCIA BEDICKS
Doutora em Ministério com Adolescentes
pelo Seminário Teológico Fuller

O livro de Rivanildo é uma excelente e inspiradora companhia em nossa leitura infindável e sempre renovada e renovadora das Escrituras. Não apenas por sua Verdade (conteúdo) mas também por sua Beleza (forma) — literatura de primeira qualidade existencial. Somos o povo do Livro, que nos alimenta, forma, define e cura. Aproveite. Um tesouro preciosíssimo que nos abre novas portas de compreensão, vivência e espiritualidade bíblicas.

GERSON BORGES
Pastor, músico, escritor e tradutor

Nós, evangélicos, podemos esquecer que outros também leem o que lemos. É absurdo julgar que a Bíblia só pertence aos nossos olhos. É claro que desejamos que todos encontrem vida eterna em páginas que, por si, já são tesouro literário — mas para que esse encontro com o evangelho aconteça talvez um passo interessante seja oferecer a nossa atenção à atenção que os outros já dão às Escrituras. *O Livro mais lido do mundo* aumenta precisamente o nosso amor por aqueles que, lendo-o, podem ainda não estar achados no seu poder transformador.

TIAGO CAVACO
Pastor da Igreja Baptista da Lapa, em Portugal

Não deveria ser ousadia, mas é. Rivanildo é ousado ao tratar um livro como o que ele é: um livro. A Bíblia, por ser sagrada, é muitas vezes vista como um tabu ou até mesmo um talismã. Aqui, não. Ela recebe o tratamento que merece, com o respeito a uma obra sacra e a profundidade de quem sabe estar lidando com literatura. No fim das contas, é se deixar levar pela maior das aventuras que um livro pode proporcionar a um leitor.

VICTOR FONTANA
Mestre em Teologia e divulgador científico e teológico

Dr. Rivanildo soube neste livro trazer para nós, leitores, um apelo à razão que toca nossas emoções e nos leva a amar mais a Deus e sua Palavra.

LISÂNIAS MOURA
Pastor sênior da Igreja Batista do Morumbi, em São Paulo

Este é um livro relevante para a igreja, contendo informações importantes sobre a teologia bíblica, sobre Deus e a criação do homem, a queda, as boas-novas, entre outros assuntos, por meio de uma linguagem atraente e agradável. Com convicção assertiva, clareza reluzente e desenvolvimento cativante, o autor responde a questões pertinentes à mente do leitor da Bíblia.

DARCY SBOROWSKI JR.
Pastor titular da Igreja Batista de Vila Mariana, em São Paulo

curadoria ⊗ sementes

O Livro mais lido do mundo

RIVANILDO SEGUNDO GUEDES

MUNDO CRISTÃO

Copyright © 2024 por Rivanildo Segundo Guedes
Publicado por Editora Mundo Cristão

Os textos bíblicos foram extraídos da *Nova Versão Transformadora* (NVT), da Tyndale House Foundation, salvo indicação específica.

Todos os direitos reservados e protegidos pela Lei 9.610, de 19/02/1998.

É expressamente proibida a reprodução total ou parcial deste livro, por quaisquer meios (eletrônicos, mecânicos, fotográficos, gravação e outros), sem prévia autorização, por escrito, da editora.

Imagem de capa: Anni Roenkae / Pexels

CIP-Brasil. Catalogação na publicação
Sindicato Nacional dos Editores de Livros, RJ

G959L
  Guedes, Rivanildo Segundo
    O livro mais lido do mundo / Rivanildo Segundo Guedes. - 1. ed. - São Paulo: Mundo Cristão, 2024.
    124 p.

    ISBN 978-65-5988-274-8

    1. Bíblia - Crítica, interpretação, etc. I. Título.

23-86524
                                    CDD: 220.6
                                    CDU: 27-273

Gabriela Faray Ferreira Lopes - Bibliotecária - CRB-7/6643

Categoria: Espiritualidade
1ª edição: fevereiro de 2024

Edição
Daniel Faria

Revisão
Ana Luiza Ferreira

Produção e diagramação
Felipe Marques

Colaboração
Raquel Carvalho Pudo
Raquel Xavier

Capa
Jonatas Belan

Publicado no Brasil com todos os direitos reservados por:

Editora Mundo Cristão
Rua Antônio Carlos Tacconi, 69
São Paulo, SP, Brasil
CEP 04810-020
Telefone: (11) 2127-4147
www.mundocristao.com.br

Sumário

Prefácio	9
Introdução	15
1. Um mundo encantado	19
2. Deus, o homem e sua origem	29
3. Deus, o homem e seu pecado	38
4. Deus, o homem e sua história	54
5. Deus, o homem e a visão do alto	66
6. Deus, o homem e a boa-nova	76
7. Deus, o homem e a nova sociedade	90
8. Deus, o homem e o início do fim	102
Considerações finais	117
Sobre o autor	123

Prefácio

Todos os amantes de um bom livro, especialmente os que se dedicam à literatura na condição de leitores, estudantes ou críticos, já ousaram fazer uma lista dos livros que consideram os mais importantes, os mais queridos e até os que mais impactaram sua vida.

Eu também já fiz algumas dessas listas, usando alguns desses e de outros critérios, e invariavelmente a Bíblia sempre ocupa o topo.

Se penso em termos de narrativas cheias de emoções, reviravoltas nas tramas, encontros e desencontros nos relacionamentos interpessoais e até contornos épicos, a Bíblia possui exemplos variados, alguns dos mais ricos na literatura humana, que serviram de inspiração para grandes dramaturgos e escritores, tais como William Shakespeare, Machado de Assis, Victor Hugo e Fiódor Dostoiévski.

Se desejo encontrar máximas e princípios éticos, que norteiem boas práticas de governos e empresas, ou simplesmente que balizem códigos de honra e escala de valores, a Bíblia tem vários livros da tão desejada arte de bem viver, tais como os Provérbios de Salomão, além dos princípios exarados da lei mosaica e dos ensinos do Sermão do Monte, que encantaram de Mahatma Gandhi a Martin Luther King Jr. e ajudaram legisladores de várias nações no estabelecimento do que é justiça e equidade.

Se busco poesia de boa qualidade, repleta da riqueza de todas as formas e métricas, emoldurando versos com palavras e significados, simbologias e conotações, a Bíblia oferece os 150 salmos e até um poema romântico chamado de Cântico dos Cânticos. Tais poesias já foram musicadas e são cantadas em quase todas as línguas humanas para enlevo do espírito e conforto da alma.

Se procuro conhecer a história e os costumes de alguns dos mais importantes povos, reinos e impérios que já existiram na história, a Bíblia me dá detalhes e nuances sobre civilizações do Egito, Babilônia, Pérsia, Grécia e Roma que nenhuma outra fonte histórica oferece. E mais: frequentemente, tem sido a Bíblia o guia para alguns dos achados arqueológicos e antropológicos mais importantes já feitos, além de ser utilizada para comparar tradições sociais, culturais e religiosas entre povos da antiguidade e da atualidade.

Portanto, quando me pergunto se considero a Bíblia em tão alta conta tão somente porque sou pastor presbiteriano há mais de 35 anos e teria, por dever de ofício, de jamais omitir o livro-fonte de meus estudos e de minhas atividades ministeriais como expositor e professor bíblico, sempre chego à conclusão honesta de que não é por essa razão a minha insistência de conferir à Bíblia o alto de meu pódio literário.

Embora conceda que alguém, já tendo lido determinado livro tantas vezes, além de continuamente usar a obra como fonte perene de consulta no dia a dia, acabe naturalmente por torná-la uma referência maior diante de outras obras, relembro que muitas vezes vivo a experiência de, lendo as mesmas histórias, ter o brilho nos olhos de um noviço diante de passagens tão surpreendentes por renovadas percepções. É a maravilhosa experiência de se ver diante de um organismo vivo que, embora mantendo uma mesma essência, se transmuta em novidades para um ávido leitor.

Portanto, encontrei na Bíblia um patrimônio universal, cujo valor literário já seria motivo mais que suficiente para ser lida, conhecida e compartilhada para além das fronteiras religiosas daqueles que a consideram Escritura Sagrada. Uma mente aberta encontrará na Bíblia ensinamentos para a vida!

No entanto, não poderia deixar de afirmar, por ser o núcleo mais fundante da minha fé que dela se alimenta, que creio ser a Bíblia a Palavra do próprio Deus, inspirada em homens comuns, que ao longo de vários séculos e nos mais variados contextos sociais, culturais e políticos colocaram em forma de reminiscências as palavras e experiências que tiveram com Deus, ou que lhes foram transmitidas oralmente pelos coadjuvantes originais da história sagrada, cujo protagonista é aquele de quem ela mais fala: o próprio Deus.

Concordo que essa é uma afirmação teológica e religiosa, mas quando Rivanildo Segundo Guedes, também pastor protestante, deu-me a honra de escrever o prefácio desta sua tão ousada obra, ele não me interditou de afirmar que a Bíblia me moldou como ser humano, em minhas crenças, princípios e valores, e tem me orientado nas decisões mais importantes da minha vida, do casamento à vocação.

A primeira vez que a li completa com menos de 16 anos me tomou 76 dias e deixou a suspeita em meus pais, que mal a conheciam, de que eu havia perdido o juízo e me tornado um fanático religioso. Nem uma coisa, nem outra. Não deixei de ler tudo que vinha à minha frente, de enciclopédias compradas em fascículos por meu pai a bulas de remédios, passando por romances, tratados, ensaios, contos, crônicas, em pequenos e grandes volumes, em português e em outras poucas línguas que conheço. E quanto à loucura, meus amigos mais próximos atestam que estou no limite da sanidade, assim como quase todos os viventes.

Porém, nunca mais deixei minha companheira diária, que outrora era editada somente em capa preta, mas que por ser tão atual também foi atualizada em capas, cores, formatos e edições para todos os gostos, idades e perfis. Hoje, há Bíblias com edições tão variadas, que mesmo tendo eu alguma reserva ao comércio associado ao fato de ser o *best-seller* literário de todas as épocas, não tenho como resistir a um presente de uma nova edição ou uma edição comemorativa.

Assim, minha história com o Livro dos livros assumiu variadas feições, afetos e significados à medida que a vida passava com suas naturais mudanças. Hoje, prestes a completar 58 anos de vida, afirmo sem dúvida: se tivesse de ter uma biblioteca com um único livro, esse seria a Bíblia!

No primeiro exemplar da Bíblia que recebi há mais de quatro décadas, estava escrito como dedicatória algo em que continuo acreditando: que se alguém "ler a Bíblia, ela pode torná-lo sábio, ao crer no que a Bíblia ensina sobre Jesus Cristo, ele mesmo o salvará e, se confiar e obedecer ao que é ordenado como lei de Deus aos homens, tal convivência fará santo o mais terrível pecador, assim como é sagrada essa Palavra e santo esse Senhor!".

Portanto, o privilégio de escrever este prefácio, com ares de depoimento pessoal, só pode ser superado pela alegria de saber que alguém, por meio destas linhas que apresentam o maravilhoso livro do querido amigo e irmão pr. Rivanildo, foi motivado a conhecer o Livro dos livros, chamado em um pequeno verso do salmo 119 de "lâmpada para os pés e luz para o caminho".

Com carinho,

REV. ROBINSON GRANGEIRO MONTEIRO
Chanceler do Instituto Presbiteriano Mackenzie e pastor
sênior da Igreja Presbiteriana de Tambaú, em João Pessoa

Introdução

Quanta responsabilidade. Escrever sobre um livro que vem transformando consciências há tantos séculos. Um livro que inspira não apenas as três principais religiões do mundo, o judaísmo, o cristianismo e o islamismo, mas também as artes, o direito, as ciências sociais e a cultura de forma geral. Aliás, muitos estudiosos irão dizer que a cultura ocidental tem neste livro o seu fundamento.

A Bíblia Sagrada judaico-cristã é um livro ímpar. É uma biblioteca sagrada. São 66 livros de pura emoção. É e continuará sendo o grande *best-seller* mundial. Trata-se de uma terra santa repleta de mistérios. Encanta, assusta e gera maravilhamento em todos os que dela se aproximam com um coração humilde.

De fato, as Sagradas Escrituras, por serem Palavra de Deus e por possuírem um estilo literário único, trazem consigo uma força argumentativa singular. E sua argumentação não gira em torno de si mesma. Suas palavras apontam para algo maior. Seu grande tema é o Outro que tanto a legitima quanto dá sentido a toda a sua narrativa. A autoridade do enredo bíblico vem, ao mesmo tempo, de fora e de dentro, de seu Autor e Personagem principal.

Minha tarefa nas páginas deste livro não é fazer uma introdução geral à Bíblia relatando como ela chegou até nós. Tampouco será uma exegese de livros bíblicos específicos. O caminho que irei percorrer é mais uma espécie de crítica literária buscando apontar, ainda que a olho nu, como esse grande livro transforma vidas. Como ele tem sido recebido até hoje. Meu desejo é tomar o texto como ele se nos apresenta e compreender a força por trás de suas palavras. Não me interessa aqui pesquisar e mencionar as várias camadas que compõem o contexto do texto bíblico. Quero destacar, isto sim, o que de singular há nele que o faz continuar sendo lido, discutido e vivido ao longo de tanto tempo.

Acredito que podemos aplicar à Bíblia o conceito de clássico, em razão de ela sempre ter o que dizer. De ser inesgotável. Um livro, como a Bíblia, é um clássico por tocar fundo a alma humana.

Por tratar dos grandes dilemas humanos. Minha aposta, portanto, é que a Bíblia é o clássico dos clássicos por ter a habilidade de abordar a condição humana como nenhum outro livro conseguiu fazer até hoje. Assim, por ser Palavra de Deus e por apresentar uma rica variedade de gêneros literários, a Bíblia é um livro *sui generis* na história humana.

Certo dia, um pensador e filósofo africano estava em um jardim quando uma voz dentro dele começou a clamar: "Toma e lê, toma e lê". Aquele jovem e brilhante escritor, que andava sedento pela verdade, estranhou tal voz. Foi quando percebeu que havia um menino próximo dele naquele jardim com uma Bíblia na mão. Uma intuição espiritual o fez entender que o próprio Deus era quem o interpelava a ler a Bíblia, pois nela estariam a verdade e sabedoria que ele tanto procurava. E, assim, Agostinho de Hipona, um dos maiores pensadores da história, iniciou sua jornada de leitura bíblica convertendo-se, por consequência, a Jesus Cristo, e tendo a mente clareada sobre a realidade da vida. A partir daí foi que Agostinho escreveu seus grandes clássicos, sendo *Confissões* o maior deles.

A Bíblia já foi lida, estudada, afirmada e legitimada por nomes como o próprio Agostinho, Teresa de Ávila, Martinho Lutero, João Calvino, Machado de Assis, Georges Bernanos, C. S. Lewis, Northrop Frye, René Girard, Robert Alter, Joseph Ratzinger, Jürgen Moltmann, N. T. Wright, Margaret Barker e tantos outros. O mínimo que eu tenho de fazer é continuar afirmando a autoridade daquele que, mesmo após minha morte, continuará sendo o Livro mais lido do mundo!

1

Um mundo encantado

O mito é o veículo do Querigma.

NORTHROP FRYE, *O grande código*

Que tipo de olhar eu devo ter para ler a Bíblia? Ao longo de séculos de estudos bíblicos, várias foram as perspectivas adotadas no intuito de compreender a narrativa bíblica: um olhar mais devocional, um olhar científico, um olhar psicanalítico, até mesmo um olhar político.

A Bíblia possui uma forma muito particular de olhar e explicar a realidade da vida. O olhar do leitor, então, deve acompanhar o tipo de olhar da própria Escritura.

Quando eu leio a Palavra de Deus, é como se estivesse em um outro mundo. É um universo encantado. A narrativa bíblica já parte do pressuposto de que Deus criou todas as coisas. No universo bíblico não cabe a dúvida, *a priori*, da existência de

Deus. Tal verdade faz parte da forma de pensar das sociedades antigas. Só há vida porque há Deus.

A palavra que os estudiosos usaram para descrever esse olhar bíblico foi "mito". A palavra vem do grego *mythos*, que significa uma forma mágica de falar sobre a realidade. Por meio do mito a Bíblia desenvolve toda a sua complexa narrativa e conta a história de seu principal personagem.

É fundamental pontuar, para início de conversa, que mito diz respeito a um jeito de explicar a vida. Os deuses estão presentes no universo mítico. Não há separação entre sobrenatural e natural. Tudo está misteriosamente interconectado e imbricado. O mito é um tipo de narrativa na qual fatos e imaginação são parceiros. Foi por isso que o crítico literário judeu Robert Alter disse que a característica principal da narrativa bíblica é a de história ficcional. A Bíblia toma os fatos que aconteceram na história de Deus acrescentando um colorido literário capaz de gerar, ao mesmo tempo, medo, maravilhamento e conversão. Os autores bíblicos conseguem dramatizar os fatos reais protagonizados por personagens reais.

Eu sei que você foi acostumado a pensar que mito diz respeito à fantasia ou mesmo ao engano.

O mito, para a grande maioria das pessoas, é uma forma de contar uma mentira. É uma ilusão. No entanto, para os povos antigos e para os autores da Bíblia, em particular, falar a partir do mito é tomar uma forma diferente de linguagem para contar sobre as principais questões da vida: de onde viemos, por que estamos aqui e para onde vamos.

Em outras palavras, assim como o mundo moderno recorre à ciência para explicar os mistérios do universo, o mundo da época de Abraão e Davi fazia uso dos recursos de que a narrativa mítica dispunha.

Entender o tipo de olhar que os autores sagrados usam para narrar o que aconteceu em seu tempo é importante para não querermos que a Bíblia fale o que ela não foi escrita para dizer. A Bíblia não é um compêndio de ciência tal qual a compreendemos em nosso mundo contemporâneo. A Bíblia é a Verdade e fala sobre a Verdade, mas de uma perspectiva que talvez não se encaixe em nossas expectativas modernas. Enquanto a ciência moderna está preocupada em afirmar *como* as coisas surgiram no universo e *como* elas funcionam, a Bíblia se ocupa com os *porquês* da existência. As duas perspectivas, no final das contas, são complementares. (Um leitor de *O Senhor dos Anéis*, de J. R. R. Tolkien, por exemplo, teria pouca dificuldade em compreender a forma narrativa da Bíblia.)

Falar do ponto de vista do olhar mítico é tocar no que é comum aos seres humanos. O mito consegue ir fundo na realidade humana por fazer uso de imagens e símbolos que nos são habituais enquanto seres simbólicos que somos. Por isso a Bíblia é um livro que pode ser traduzido para qualquer língua ou etnia, visto que seus temas estão presentes em qualquer cultura no mundo.

Devo ressaltar, porém, que não foram apenas os povos do passado que fizeram uso do mito para explicar a realidade. Sigmund Freud, o pai da psicanálise, intuindo que a ciência moderna era limitada para dizer aquilo que ele pretendia afirmar sobre a alma humana e suas neuroses, fez uso de mitos, sendo o mais famoso deles o de Édipo. O mito possui tamanha força em sua forma de abordar a realidade humana a ponto de encantar e mover as pessoas. Ele trabalha com a imaginação, visando não apenas *informar*, mas também *formar* os que se aproximam de suas histórias.

A Bíblia, enquanto Palavra revelada de Deus, possui um estilo literário único. Em comparação com outras obras literárias, a Escritura Sagrada deseja expor algo mais do que apenas a experiência humana. Northrop Frye explica:

O estilo linguístico da Bíblia, na realidade, não coincide com nenhuma de nossas três fases da linguagem, por mais importantes que tais fases tenham sido na história de sua influência. A Bíblia não é metafórica, como a poesia, embora seja cheia de metáforas, e é tão poética quanto possível sem chegar a ser, de fato, uma obra de literatura. A Bíblia não usa a linguagem transcendental de abstração e da analogia, e o uso que faz da linguagem objetiva e descritiva é incidental do início ao fim. Trata-se, de fato, de uma quarta forma de expressão, para a qual adoto o termo, hoje bem estabelecido, de querigma, proclamação.[1]

A Bíblia tem uma intenção muito objetiva: ela deseja trazer corações e consciências de volta para Deus. A proclamação da vontade do Criador para sua criação é o solo de onde nascem os gêneros literários de toda a Bíblia. É como se, para convencer os leitores/ouvintes acerca do coração de

[1]Northrop Frye, *O grande código: A Bíblia e a literatura* (Campinas, SP: Sétimo Selo, 2021), p. 64-65.

Deus, os autores sagrados fizessem uso da Lei, da Poesia, da Sabedoria, da Profecia e assim por diante. Tudo o que se encontra à disposição da linguagem humana se torna recurso a fim de persuadir a humanidade.

Portanto, a partir do espírito do mito enquanto forma de expressar a realidade, o *Querigma*, a proclamação da vontade de Deus, é descrito ao longo das narrativas bíblicas.

Há objeções à possível veracidade e autenticidade da maneira que o mito espelha a realidade. Para vários estudiosos, no decorrer do desenvolvimento da linguagem humana, a forma mítica se enquadra em uma fase mais infantil da vida. É como se, para ser adulto, a pessoa precisasse se expressar de maneira conceitual a fim de que a palavra se adeque à coisa em si. Sigmund Freud, por exemplo, foi um dos que defendeu a ideia de que a religião, cuja forma de linguagem é o mito, se encontrava em uma etapa infantil da existência. Apenas crianças e pessoas assombradas com o sentimento de desamparo da vida usariam a forma mítica para se comunicar.

A forma de linguagem científico-moderna (ou seja, cartesiana) seria a única capaz de nos ajudar, de fato, a nos situar no mundo com precisão, sem nos levar ao erro. Assim pensam muitos filósofos e pensadores modernos. Mas eles estão certos? Será que, por estar mais avançada cronologicamente em relação ao mito enquanto forma de pensar/falar, a linguagem conceitual é mais privilegiada?

A meu ver, para explicar certos aspectos da realidade, a maneira técnico-científica nos ajuda bastante. Na verdade, foi a própria religião de Israel quem iniciou o processo de entendimento de que o mundo criado por Deus possui uma abertura para que possamos estudá-lo, analisá-lo e dissecá-lo a fim de apreendê-lo. O problema é que a mente humana, tendente que é à idolatria, acabou por entronizar a razão a ponto de elevá-la ao patamar de entidade superior.

A realidade da vida, então, conforme Deus a concebeu, está encoberta perante a linguagem puramente técnica. Apenas o mito, por meio da proclamação que é a própria Palavra do Eterno, pode desvendar para nós o que seja a verdadeira realidade.

A linguagem mítica está associada à presença de algo que transcende a mera existência da vida. A vida superior sustenta e confirma a vida aqui embaixo. A vida concreta não consegue nem tem a capacidade de se explicar a si mesma. A experiência do dia a dia se revela ao coração, que é o espaço onde nosso eu verdadeiro habita. Eis algo fundamental para entender como o mito se processa dentro de nós: o mito faz uso do olhar do coração. Trata-se de uma linguagem dos afetos que tem a capacidade de informar sobre o fundo da realidade. Não foi à toa que o apóstolo Paulo orou ao Eterno pedindo que ele iluminasse os olhos do coração do povo de Deus para que estes conseguissem compreender todo o amor do Pai revelado em sua criação (Ef 1.18). É a realidade sendo percebida por meio da intuição espiritual.

A forma mítica de compreender, explicar e vivenciar a realidade está mais próxima a nós do que gostaríamos de admitir. O famoso psicólogo clínico canadense Jordan Peterson, em seu livro *Mapas do significado*, afirma que a forma habitual, cotidiana e constante de nos situarmos na realidade do mundo é a mítica. O mito é a lente que usaremos o tempo todo, desde o nascimento até a morte.

René Girard, crítico literário que foi homenageado na prestigiada Academia Francesa de Ciência, se viu inquieto diante de uma pergunta: existe diferença entre os mitos pagãos e o mito bíblico?

Antropólogo e grande estudioso das culturas humanas, Girard intuiu que existia uma novidade no olhar bíblico sobre a realidade. O mito da Bíblia era, de fato, diferente.

Ao estudar os mitos em quase todas as principais sociedades antigas, Girard percebeu que existia um elemento persistente: a violência aos inocentes. Os mitos pagãos, via de regra, falam de deuses que perseguem outros deuses e até pessoas por razões banais como inveja e ciúme. Não é à toa que muitas culturas foram formadas por meio da violência. Os mitos de tais culturas contam como pessoas foram mortas para que a sociedade pudesse existir. Girard dirá que em todas as culturas do mundo há uma espécie de bode expiatório, uma pessoa escolhida a dedo para ser vitimizada em nome da sociedade a fim de que os males sociais fossem resolvidos. Ele concluiu que praticamente todos os bodes expiatórios eram pessoas inocentes que, por serem de alguma forma diferentes do coletivo nos aspectos físicos e/ou psicológicos, caíam nas mãos da horda violenta. Tal realidade era contada e legitimada nos mitos e se tornava, assim, sagrada. Intocável. Se o mito era violento, a sociedade também seria.

O olhar da Bíblia sobre a realidade fala do passado, antes mesmo do tempo, como sendo um ambiente de amor e paz. Deus, sendo Pai, Filho e Espírito Santo, sempre existiu e desejou compartilhar com os seres humanos a alegria e o amor que desfrutava desde a eternidade. Por isso ele criou o universo. Não existe no mito judaico, e depois no mito cristão, algum relato de brigas ou ciúmes entre os deuses ou mesmo perseguição contra pessoas. O amor sempre foi a base da narrativa do mito judaico-cristão. É verdade que no mito judaico-cristão ocorre a entrega de alguém por livre iniciativa em sacrifício de toda a humanidade. Veremos isso mais à frente. Por ora, cabe dizer que, a partir do momento que o mito judaico-cristão se tornou acessível ao mundo, não se pode mais inventar desculpas para a violência. Com a revelação de Deus por meio da morte e ressurreição de seu Filho amado, todo ato de violência expresso nos mitos foi iluminado, denunciado e julgado pelo Deus todo-poderoso. Não se comete mais atos de subtração da dignidade do outro de maneira desavergonhada. A consciência humana lateja diante de qualquer ação violenta.

2

Deus, o homem e sua origem

> A criação, em suma, parece pertencer ao complexo que associamos à metáfora da integração. Criar significa criar uma unidade planejada, com o cuidado do artesão, no qual cada detalhe adquire uma função, uma relação característica com o todo.
>
> NORTHROP FRYE, *O grande código*

No início de tudo, Deus já estava lá. Só há mundo porque há Deus. Aliás, antes mesmo de existir o tempo, Pai, Filho e Espírito Santo já se relacionavam como uma família. O teólogo suíço Karl Barth afirmou com razão que falar de Deus é se referir à Trindade. A criação como um todo possui a marca da inter-relação e interconexão inerente à Santa Trindade.

A Trindade, desejosa de expandir sua alegria santa, criou todas as coisas. Assim, a afirmação inicial das Escrituras: "No princípio, Deus criou os céus e a terra" (Gn 1.1), informa que em seu trono de glória Deus faz seus planos e os executa.

O Todo-Poderoso, a partir do nada, criou todas as coisas. Tudo, portanto, possui um *télos* planejado por Deus. Há propósito em tudo o que ele projetou e criou. Podemos dizer, então, que o livro de Gênesis, em especial seus três primeiros capítulos, compõe a declaração retumbante do propósito, razão e intenção de Deus sobre o mundo criado contra a mentalidade ateísta de nosso tempo, que afirma não haver razão alguma para tudo o que existe.

Deus não perde tempo. Ele faz todas as coisas com intenções objetivas, santas e redentoras. Absolutamente tudo na criação possui seu espaço e sua razão de ser. Cada elemento da criação tem sua vocação específica. Tudo foi não apenas criado, mas também chamado pela palavra do Eterno para assumir uma função que apenas aquela parte da criação poderia cumprir.

E, desde o princípio das Escrituras Sagradas, constataremos a presença de dois personagens: Deus e o homem. Para explicar essa criação grandiosa, graciosa e singular, o autor sagrado, Moisés, faz uso da linguagem mítica de seu tempo. Moisés toma de empréstimo a narrativa mítica da criação dos povos da época acrescentando, porém, um brilho adicional. A revelação de Deus, explicada no mito da criação, não continha relatos sobre guerras entre deuses. Não havia violência. Deus, o Todo-Poderoso, subjuga os supostos deuses simbolizados no caos e na desordem. Northrop Frye diz que os mitos pagãos são tipos para a revelação de Deus. Eles prepararam o terreno para Deus se comunicar com os seres humanos. Anunciam a partir de suas narrativas muitas vezes grotescas e assombrosas, o perfeito e belo que virá. É como se todos os mitos apontassem, ainda que inconscientemente, para o grande Criador e Redentor do universo. A palavra de comando do Eterno, "Haja!", não encontra resistência alguma. O grande Eu Sou usa sua palavra para mediar sabedoria, amor, força, justiça e ordem, elementos que estarão impregnados em todos os lugares da criação. A criação como um todo revela a glória do Criador.

O autor sagrado cria uma imagem na mente daqueles para os quais ele se dirige. Nessa imagem, o Criador, ao contrário dos deuses das religiões da época, se envolve com sua criação. Jamais alguém teria concebido a ideia de um deus próximo ao ser humano. Os deuses tão somente davam ordens e exigiam de seus adoradores o serviço a seus insaciáveis apetites divinos. Pareciam meninos mimados com alta necessidade de serem paparicados.

Quando, então, a Trindade criou o homem, à sua imagem e semelhança, já existia um mundo. O mais difícil já havia sito feito pelo Criador. Recebemos do Eterno a criatividade para darmos continuidade às obras de suas mãos, participando, portanto, do privilégio de sermos criadores a seu lado. Fomos criados para algo. Não fomos simplesmente jogados no mundo. Não somos um acidente de percurso. Fomos projetados para, em comunhão ininterrupta com o Pai, mediarmos por meio de nossas ações no mundo de Deus a sua própria pessoa. Assim diz o texto sagrado:

> Então Deus disse: "Façamos o ser humano à nossa imagem; ele será semelhante a nós. Dominará sobre os peixes do mar, sobre as aves do céu, sobre os animais domésticos, sobre todos os animais selvagens da terra e sobre os animais que rastejam pelo chão".

> Assim, Deus criou os seres humanos à sua
> própria imagem,
> à imagem de Deus os criou;
> homem e mulher os criou.

Então Deus os abençoou e disse: "Sejam férteis e multipliquem-se. Encham e governem a terra. Dominem sobre os peixes do mar, sobre as aves do céu e sobre todos os animais que rastejam pelo chão".

Gênesis 1.26-28

Deus enfrenta o caos e a desordem para gerar organização e propósito e, assim, entregar algo belo ao ser humano. Adão e Eva são criados para, além de representarem toda a humanidade, viverem a partir de seus próprios nomes como pessoas. O primeiro casal é humanidade e pessoas, ao mesmo tempo. É sociedade e privacidade. Grupo e individualidade. Deus se relaciona de tal forma com o todo e o particular a fim de expressar sua totalidade e pessoalidade. Foi o filósofo e pensador judeu Emmanuel Levinas quem disse que é no rosto do outro que podemos perceber a transcendência do rosto do Outro. A dignidade de cada ser humano e grupo de pessoas está no fato de refletirem o rosto de Deus: o Outro que se relaciona e nos chama a cada um de nós pelo nome. Cada pessoa, portanto, tem sua história e caminhada. O rosto da pessoa que convive conosco e que passa por nosso caminho declara a sentença de singularidade, novidade e profundidade de seu Criador. Uma pessoa é um poço profundo de complexidade, beleza e especificidade.

Uma das formas de auxiliarmos o Criador em sua criação é dar nome aos seres criados. Dominar e governar sobre a criação de Deus, ofícios conferidos a nós, não é espoliar a criação. Não significa sugar todos os recursos disponíveis. A linguagem é um dos grandes presentes que Deus nos deu. Por meio da linguagem, que tem na fala o resultado de um longo processo, nos situamos no mundo e tentamos explicar o que se encontra ao nosso redor. Aprendemos a reconhecer cada elemento da natureza. Sabemos onde está o perigo. Percebemos nossos limites. Ao falar já deveríamos revelar a bondade de Deus. Nomear o que nos cerca, portanto, teria de vir acompanhado do reconhecimento da boa mão do Criador por trás de tudo.

Assim, à medida que uma criança se desenvolve ela já deveria se dar conta de sua origem e de seu propósito, e suas palavras configurariam uma expressão desse entendimento. Na intenção da criação de Deus, falar é, além de reafirmar o valor e papel de cada elemento da boa criação, proferir ações de graças por tudo o que ele nos confiou.

Viver neste mundo de Deus exigirá de nós a consciência clara de nossa limitação. O Criador nos deu tantas coisas. Contudo, a completa dependência de sua mão provedora deverá ser a postura dos que foram criados à sua imagem e semelhança. As palavras sagradas são contundentes:

> Então o SENHOR Deus formou o homem do pó da terra. Soprou o fôlego da vida em suas narinas, e o homem se tornou ser vivo.
>
> Gênesis 2.7

Nossa origem é nobre. Somos embaixadores de Deus neste mundo. Nossa substância, porém, é o pó. Somos do céu e da terra. Podemos realizar muito, mas não tudo. Fomos projetados nos céus, mas temos pés de barro. Humildade. Consciência visitada pela graça de Deus. Clareza de quem, de fato, somos.

Tudo o que foi dito até aqui sobre a criação do mundo e dos seres humanos possui o peso da graça. A graça já se revela no início de todas as coisas. O fato de termos sido criados por Deus já é em si uma expressão plena de sua graça para conosco. Existir é graça. Não merecíamos tamanha dádiva de sua parte. Estamos aqui. Podemos respirar. Desfrutamos do amor do Criador, um amor que se encarna na folha de uma árvore e no nascimento de um bebê. Tudo é graça!

Ao final de cada etapa da criação, o narrador afirma sobre a empreitada de Deus: "E Deus viu que isso era bom". A palavra bom, *tov* no hebraico, expressa a completa bondade por trás da criação. Deus cria uma verdadeira obra de arte, sendo o ser humano o que melhor espelha a bondade de Deus. Tudo na criação é harmônico e alinhado: *beleza*.

O ato final da criação de Deus é marcado pelo descanso divino. Tendo enfrentado as forças do caos e da desordem e as vencido, o Criador se recolhe e cessa, por um tempo, sua atividade de guerreiro.

O *Shabat* significa uma pausa nas atividades corriqueiras da vida, quando colocamos as coisas em ordem para que revelem a harmonia que Deus havia intencionado que elas tivessem. Entramos no tempo de qualidade de Deus. É a eternidade se entrelaçando ao temporal e efêmero. Descansar em um dia específico da semana implica observarmos, em tom de ações de graças, tudo o que ele nos permitiu produzir. Diz respeito a um tempo de contemplação no qual reconhecemos diante do Eterno como estamos cumprindo nosso papel de cogerentes da criação. Entrar no *Shabat*, portanto, é participar, com Deus, do descanso de que ele desfruta em vista de sua vitória ante as forças da desordem. Tudo o que fizemos com Deus é muito bom!

O desejo de Deus, desde o princípio, no Jardim do Éden, era estar presente no centro de tudo. Por isso o autor sagrado dirá que Deus passeava no jardim, na viração do dia, para conversar com os seres humanos. Sua presença era o que conferiria sentido a todas as coisas. A aliança que o Eterno fez com os seres humanos teria na presença de Deus a legitimação de tal amizade. Sua presença no meio de seu povo indicaria que a aliança jamais seria quebrada. Deus não voltaria atrás.

3

Deus, o homem e seu pecado

O pecado é a doença do eu.

SOREN KIERKEGAARD, *O desespero humano*

Há algo de errado com o mundo. Não precisamos ter alguma fé religiosa para admitir que a maldade que testemunhamos diariamente não deveria acontecer. Possuímos uma espécie de intuição que transmite à nossa alma um senso de justiça. Choramos ao ver uma criança sofrer injustamente. Ficamos indignados diante da corrupção. Protestamos quando entendemos que direitos humanos básicos, como a liberdade, estão sendo subtraídos.

Agostinho de Hipona percebeu, a partir do relato bíblico, que o mal teria vindo da transgressão da vontade humana. Ele chamou de livre-arbítrio o recurso que o Criador nos deu para decidirmos o que entendemos ser o melhor para nós. Foi exatamente esse livre-arbítrio que o primeiro casal usou de maneira indevida. Ao decidir ir contra a clara ordem de Deus de não comer do fruto proibido, Adão e Eva caem na alienação e se percebem nus, distantes do Criador. Assim dizem as palavras sagradas:

> A mulher viu que a árvore era linda e que seu fruto parecia delicioso, e desejou a sabedoria que ele lhe daria. Assim, tomou do fruto e o comeu. Depois, deu ao marido, que estava com ela, e ele também comeu. Naquele momento, seus olhos se abriram, e eles perceberam que estavam nus. Por isso, costuraram folhas de figueira umas às outras para se cobrirem.
>
> Gênesis 3.6-7

Havia um interdito da parte de Deus para que ninguém comesse do fruto proibido. A desobediência jamais deveria ser uma opção. Ao escolher a negação da vontade expressa de Deus, o primeiro casal passaria a ter as emoções fragmentadas e o olhar turvado. Enxergariam o mundo a partir de uma sabedoria malandra e evasiva. Ao pecarem, Adão olhou para Eva e ela, para seu marido, e ambos tiveram vergonha um do outro. Envergonhados não por se perceberem sem roupa, mas sim porque o que havia na alma de cada um foi exposto. Eles se envergonharam da cobiça agora presente em seu coração. Cobiçaram o mal, e o mal os derrotou dando-lhes um soco na cara. Vergonha. Fuga. Imediatamente, a malandragem travestida de sabedoria lhes sugere resolver o problema com as próprias mãos, fazendo para si novas roupas a fim de tentar disfarçar o que era impossível: o mal agora residindo permanentemente no *íntimo* do casal em fuga. Desde então, todos os seres humanos tentam redimir a si mesmos utilizando recursos que em si nada podem fazer para aliviar o peso da consciência e aplacar a angústia esmagadora que lhes aperta o peito.

A consciência de Adão e Eva passa a ser dirigida por sua cobiça e seu profundo desejo de ser independente de Deus. O pecado entra na raça humana. É o que Agostinho designa de pecado original. Ali o pecado não apenas nasce; ele passa a ser comunicado, de alguma maneira misteriosa, a todos os descendentes de Adão e Eva. Isto é, a você e eu. Nós nascemos no pecado. Estamos diante da grande tragédia da humanidade. A partir de então nunca mais seríamos os mesmos. A primeira reação de Adão e Eva foi se esconderem de Deus, negarem o afeto um ao outro e iniciarem um processo destrutivo de buscar o culpado para suas mazelas. O primeiro casal se esconde de Deus porque o pecado passa a agir em sua consciência por meio da culpa destrutiva. A teóloga e escritora britânica Margaret Barker comenta que, tão logo o pecado se instala na criação, o ser humano perde a sabedoria, que era a forma de viver no mundo criado por Deus. Por meio da sabedoria as pessoas conseguiriam perceber como Deus queria que elas agissem. A sabedoria era a mediadora entre a humanidade e a criação. O primeiro casal, e nós com ele, rejeitou a maneira divina de andar no mundo. Disseram não à proposta do Eterno. Sem a sabedoria, os seres humanos se encontram vulneráveis às artimanhas do coração humano mau e do mundo agora desconectado do Criador. Sem o discernimento, fruto da sabedoria, seria muito maior a dificuldade para tomar decisões seguras e retas. A injustiça passaria a se colocar no centro das relações humanas.

Os vícios da alma — luxúria, bebedices, inveja, ciúme, adultério — brotam da alma humana quase que como uma estrutura de nosso ser. O pecado será em nós uma força visceral. Caso não tomemos providências ele nos dominará. Satanás, travestido de serpente, consegue seduzir o casal a ponto de fazer que se virem contra o próprio Criador. O inimigo sabia muito bem que o mal só entraria na criação, em especial nos seres humanos, se o homem, Adão, aceitasse seguir suas propostas de rebeldia. O diabo é parasita; ele depende da boa criação de Deus para poder agir. Entendemos daí que o mal não foi criado pelo Eterno. O mal vem de fora, trazido por Satanás, e se faz real na criação por meio da vontade desviada do primeiro casal.

O pecado é, então, alienação. A consciência se instala em uma estrutura fora de nós mesmos que passa a conduzir nossa vida. Fazemos o que não queremos. Ao pecar o primeiro casal legou a todos os seus descendentes uma enfermidade na alma. O eu se tornou adoecido.

O resultado imediato é a morte emocional e espiritual do casal desobediente. Deus sentencia sua expulsão do Jardim do Éden, ou seja, a Presença não estaria mais disponível. Eles se veriam sós. Apesar dessa realidade trágica, porém, Deus não iria contradizer sua palavra. Ele continuaria presente no meio de seu povo, ainda que o acesso estivesse interditado. Ele mesmo criaria outros meios para que o ser humano se colocasse diante do grande Eu Sou.

O pecado passou a dominar as ações dos seres humanos. Na sequência, deparamos com o primeiro assassinato da história humana no seio de uma família: um irmão mata o outro, por causa da inveja e do ciúme. Caim tira a vida de seu irmão, Abel, por se considerar inferior. A inveja e o ciúme, que são primos de primeiro grau, assumem a cena da história. O pecado, agora manifesto em tais vícios da alma, é avassalador. Destruidor. Ele implode as relações humanas.

Foquemos nosso olhar agora em uma história, talvez uma das mais conhecidas da Bíblia, que ilustra muito bem o poder que a inveja/ciúme tem. O drama de José e seus irmãos é a encarnação perfeita, por um lado, da inveja/ciúme e, por outro, da possibilidade de vencer o poder destrutivo do pecado.

Jacó, um dos patriarcas hebreus, teve doze filhos. Os dois mais novos nasceram de seu amor pela esposa amada, Raquel. Antes do nascimento de Benjamim, José era o filho caçula de Jacó e Raquel. Infelizmente, Jacó fazia questão de expor, diante dos outros filhos, sua preferência por José. Presentes caros e elogios não faltavam ao filho querido do patriarca. Como era de se esperar, os outros filhos iam sendo tomados cada vez mais de inveja e ciúme. Eles se sentiam, e até certo ponto é compreensível, inferiorizados perante a relação do pai com o irmão mais novo.

Não bastasse toda a bajulação de Jacó, José agora começa a ter sonhos que, a princípio, parecem denunciar certa megalomania. Ele sonha que os pais e os irmãos se curvam diante dele. Ele seria senhor da própria família. José conta para todos o que aconteceu em seu íntimo enquanto dormia. "Como assim?", pensaram os irmãos. "Acaso nos curvaremos diante de você?" Até o próprio Jacó estranhou os sonhos de seu filho. Como isso seria possível? A verdade é que José era muito novo para lidar com o que Deus lhe estava revelando. Ao contrário de Maria, mãe de Jesus, que guardou no coração o que o anjo Gabriel lhe tinha dito acerca de seu futuro filho, José não teve a sabedoria de digerir e buscar ajuda para interagir com seus sonhos. De fato, o Eterno já estava falando com o filho mais novo de Jacó, mas José não teve estrutura emocional para lidar com tudo aquilo. Caiu nas garras invejosas e ciumentas de seus irmãos. Aquilo foi a gota d'água para que lhe armassem uma emboscada. Certo dia, quando José sai à procura dos irmãos a pedido de Jacó, os enfurecidos ciumentos o vendem, ainda que quisessem matá-lo, para uma caravana de mercadores que o leva para o Egito. Ali, em terra estranha e pagã, José vivencia seus piores pesadelos. O autor e narrador da história sagrada conduz a nós, leitores, por um drama permeado por medo, injustiça, vergonha e humilhação.

Observe como a Bíblia não tem pudor algum em expor as mazelas da alma humana. Ela faz questão de escancarar como somos. Ao contrário da mente moderna, que busca camuflar as razões por trás de nossos desejos desviados, as Escrituras Sagradas despem a consciência humana e tornam patentes as reais intenções do coração. A Palavra de Deus traz à luz o que está oculto dentro de nós. E será por meio de personagens, como a família de Jacó, que o Redentor mostrará ao mundo como a inveja e o ciúme podem ser vencidos. Robert Alter, comentando o drama da família de Jacó, diz que os autores sagrados expõem os momentos íntimos em que os personagens estão pensando sobre si mesmos e sobre a vida, com o fim de evidenciar que Deus criou pessoas que raciocinam e tomam decisões. Ele não criou robôs. As pessoas — você e eu — têm consciência de si mesmas, mesmo que essa consciência esteja manchada pelo mal. O autor bíblico teve a habilidade de penetrar ali, na consciência humana, e mostrar que os personagens da Bíblia são verdadeiros. São gente, como você e eu. Deus se relaciona com pessoas de carne e osso. As Escrituras Sagradas mostram que a alma humana é vazada. A maldade tanto já está lá dentro quanto penetra por meio dos desejos maus de outros. Por mais que tentemos esconder, mentindo a nós mesmos que não temos inveja e/ou ciúme e que somos pessoas bem resolvidas, não conseguimos, no final das contas, viver para sempre de máscaras. Em algum momento de nossa caminhada os desejos desviados virão à tona. Eles sairão pelos poros de nossas atitudes cotidianas.

O menino que era querido e paparicado agora se vê tendo de criar musculatura emocional e antifragilidade para superar tudo aquilo. O mundo é mau. Lá fora tudo é diferente. Aqui não é a casa de meu pai, certamente pensou o jovem José. Contudo, o livro de Gênesis faz questão de inserir um *mas* redentor: "*Mas* o SENHOR estava com ele na prisão e o tratou com bondade" (Gn 39.21). Ele não estava só. Essa realidade o fortaleceu. A realidade da presença de Deus fez que José superasse, pouco a pouco, seus dramas pessoais. O fato de Deus estar ao nosso lado é a matéria-prima de que precisamos para criar os novos horizontes que a vida exige de nós. O Eterno é uma realidade. Aliás, ele simplesmente *é*. Nós é que existimos e precisamos dele para sermos. Somos por causa dele, que é.

Após tempos de muitas lutas e derrotas, o menino José é convocado à presença do poderoso faraó para auxiliá-lo na interpretação de seus sonhos. O sonhador agora tem a missão de desvendar os sonhos alheios. Deus usa José de tal forma para interpretar os sonhos do faraó que José não apenas é elogiado, mas também é nomeado, pelo próprio soberano do Egito, como a segunda maior autoridade daquela terra. Todos deveriam seguir as ordens do filho de Jacó. Quem imaginaria que aquele menino seria usado pelo Eterno para ajudar os que passariam fome, em especial o povo de Deus?

Além de todo o prestígio político, José se casa com uma das filhas de um sacerdote. Deus lhes concede filhos, um símbolo poderoso da bênção divina. Vale a pena destacar os nomes que José dá a seus filhos.

José chamou o filho mais velho de Manassés, pois disse: "Deus me fez esquecer todas as minhas dificuldades e toda a família de meu pai". José chamou o segundo filho de Efraim, pois disse: "Deus me fez prosperar na terra da minha aflição".

Gênesis 41.51-52

José havia permitido que Deus o curasse. Ele não permitiu que o ressentimento guiasse seus afetos. Tudo de mal que intentaram contra ele o Eterno reverteu em bênção, fazendo de José um homem livre da mágoa. Os nomes de seus filhos são a marca da restauração. São fruto das profundas experiências de solidão, rejeição e medo pelas quais José passara. José é o grande exemplo de que é possível não apenas perdoar a quem nos fez mal, mas também superar os traumas e se tornar alguém produtivo. Ele foi um empreendedor a serviço de Deus.

A grande prova de que José sabia conviver com as memórias de sua infância ainda estava por vir, em seu reencontro com os irmãos tantos anos depois daquele dia traumático. Será que ele conseguiria, de fato, tratar com bondade aqueles que o traíram?

Perceba como o autor sagrado desenha a cena do encontro dos irmãos:

> Uma vez que José era governador do Egito e o encarregado de vender cereais a todos, foi a ele que seus irmãos se dirigiram. Quando chegaram, curvaram-se diante dele com o rosto no chão. José reconheceu os irmãos de imediato, mas fingiu não saber quem eram e lhes perguntou com aspereza: "De onde vocês vêm?"
> "Da terra de Canaã", responderam eles. "Viemos comprar mantimentos."
>
> Gênesis 42.6-7

Que cena! Anos após um dia que nunca deveria ter acontecido, os irmãos se encontram de forma inusitada. Os planos de Deus parecem por vezes enigmáticos. Quem sabe tudo aquilo era para acontecer mesmo? O que José havia sonhado se cumpriu: os irmãos se curvaram diante dele. O imediato do faraó estava ali, com a faca e o queijo na mão. José tinha autoridade para fazer o que quisesse com os traidores. Apenas quando temos a oportunidade de escolher entre a retaliação e o perdão que cobre uma multidão de pecados é que provamos o estado de nosso coração.

José renunciou seus direitos imperiais. O amor de Deus já estava, havia muito tempo, sendo aperfeiçoado em seu coração. A misericórdia prevaleceu sobre a justiça. A compaixão guiou os afetos. De fato, José venceu. Ele se mostrou livre da mágoa. Conseguiu enxergar verdadeiramente o que estava diante de si: o mal que seus irmãos impingiram sobre ele, é verdade, mas sobretudo a misericórdia de Deus. O amor sacrificial do Eterno possui a capacidade de constranger o coração humano. De forma extraordinária nos vemos em estado de compadecimento frente à dor dos que nos causaram dor. O coração pulsa em direção ao sofrimento alheio.

José não mais se contém diante dos irmãos. A emoção inunda seu coração a ponto de saltar em palavras permeadas por alegria e graça:

"Sou eu, José!", disse a seus irmãos. "Meu pai ainda está vivo?" Mas seus irmãos ficaram espantados ao se dar conta de que o homem diante deles era José e perderam a fala. "Cheguem mais perto", disse José. Quando eles se aproximaram, José continuou: "Eu sou José, o irmão que vocês venderam como escravo ao Egito. Agora, não fiquem aflitos ou furiosos uns com os outros por terem me vendido para cá. Foi Deus quem me enviou adiante de vocês para lhes preservar a vida. A fome que assola a terra há dois anos continuará por mais cinco anos, e não haverá plantio nem colheita. Deus me enviou adiante para salvar a vida de vocês e de suas famílias, e para salvar muitas vidas. Portanto, foi Deus quem me mandou para cá, e não vocês! E foi ele quem me fez conselheiro do faraó, administrador de todo o seu palácio e governador de todo o Egito".

Gênesis 45.3-8

O filho de Jacó amadureceu. A maturidade é um empreendimento doloroso. Poucos conseguem atender às exigências que a vida madura faz. Ser maduro, antifrágil, só pode se dar, na verdade, como um dom de Deus. Perceba que é Deus quem está no centro da fala de José a seus irmãos. José tem consciência de quem o guiou até ali. Ele poderia dar uma aula de gestão de conflitos em qualquer universidade. José trouxe à tona a injustiça ("Eu sou José, o irmão que vocês venderam como escravo ao Egito") mas também se deixou embalar pela misericórdia do Eterno ("Deus me enviou adiante para salvar a vida de vocês e de suas famílias"). O mal do mundo é lido pelas lentes da justiça de Deus, que jamais nos incita à vingança ou à retaliação. A maldade humana, motivada por inveja e ciúme, será vencida através dos veículos do amor misericordioso de Deus, que ao perdoar faz cessar o mecanismo vicioso das trevas. José se fez um veículo dos céus. Ele disse sim aos apelos de Deus para pôr fim às ações estúpidas de homens presos em seus vícios da alma. O amor de Deus, presente em seu filho José, venceu a inveja e o ciúme.

Abraços e beijos cheios de afeto e misericórdia assumem a cena. Como diria o teólogo croata Miroslav Volf, o abraço é o último estágio do perdão, a reconciliação posta em prática.

Não podemos encerrar este capítulo sem destacar as palavras do autor sagrado:

José acrescentou: "Vejam! Vocês podem comprovar com seus próprios olhos, e também meu irmão Benjamim, que sou eu mesmo, José, que falo com vocês! Contém a meu pai a posição de honra que ocupo aqui no Egito. Descrevam para ele tudo que viram e tragam-no para cá o mais rápido possível". Chorando de alegria, ele abraçou Benjamim, e Benjamim também o abraçou e chorou. Então José beijou cada um de seus irmãos e chorou com eles; depois os irmãos conversaram à vontade com ele.

Gênesis 45.12-15

A Bíblia, a exemplo dos grandes clássicos da literatura, mexe com nossas emoções. E é verdade que linguagem mítica está por trás desses grandes enredos. Ainda assim, a maneira como as Escrituras trabalham a história de superação da inveja e do ciúme por meio do amor misericordioso de Deus certamente não possui paralelo na história humana.

4

Deus, o homem
e sua história

> Os antigos escritores hebreus [...] buscavam
> revelar, mediante o processo narrativo, a rea-
> lização dos propósitos divinos nos aconteci-
> mentos históricos.
>
> ROBERT ALTER, *A arte da narrativa bíblica*

A vida do homem seria assim de agora em diante: uma história marcada por tragédia e vitória.
Por sucesso e derrota. A vontade humana e a divina sempre em tensão. Nas palavras de Robert
Alter:

> [...] a realização da vontade divina é continuamen-
> te embaraçada pela percepção de duas tensões
> dialéticas, quase paralelas. De um lado, a tensão
> entre o propósito divino e a natureza desordenada
> dos fatos históricos reais ou, traduzindo essa opo-
> sição em termos especificamente bíblicos, entre a
> promessa divina e seu manifesto fracasso em se
> cumprir; de outro lado, a tensão entre a vontade de

Deus, a condução da Providência divina, e a liberdade humana, a natureza refratária do homem.[1]

Alter fala com muita propriedade sobre o drama que se desenrola nas narrativas das Escrituras Sagradas. Por um lado, o ser humano buscando se realizar e alcançar a felicidade, porém com a consciência apartada do Criador; por outro lado, testemunhamos o próprio Deus continuamente providenciando os meios para que sua presença se fizesse mais uma vez concreta e acessível a seu povo. Essa será a tônica das histórias e de seus respectivos personagens ao longo de toda a Bíblia. É importante dizer que a liberdade humana, seu livre-arbítrio, jamais impede que o Redentor chegue a concretizar o que ele planejou. No máximo, a vontade humana pode atrasar, de alguma forma misteriosa, os desígnios do Senhor Todo-Poderoso. O que ele projetou, contudo, irá acontecer.

O Senhor é o Deus da história. Ele se revela a mim e a você por meio dos acontecimentos do dia a dia. Desde que nos levantamos, cedo de manhã, até

[1] Robert Alter, *A arte da narrativa bíblica* (São Paulo: Companhia das Letras, 2007), p. 59.

quando vamos dormir, as histórias bíblicas vão se entrelaçando à nossa história. Repetimos algumas das cenas que lemos na Bíblia: a dependência de José, a confiança de Raabe, a soberba de Sansão, o coração grato de Ana, a desobediência de Saul, a entrega de Maria Madalena e a coragem do apóstolo Paulo mostram quão próximos estamos dos grandes personagens bíblicos. São tão humanos como nós. Uma diferença, contudo, existe entre eles e nós: os personagens que são considerados heróis se entregaram a uma vida com Deus a ponto de não mais se verem sem o auxílio do Eterno. Viver é andar com Deus. A história do Criador é a minha história. Eu fui encontrado. Não mais caminho sozinho neste mundo. Eu pratico a presença do Altíssimo. Estou sempre diante dele. Estamos unidos ao Criador.

A história de Deus passa a ser a nossa história. Como o grande redentor da história dos homens e mulheres, ele providencia meios para que estejamos sempre diante dele. Deus se agrada de fazer uso de pessoas para servirem de modelo para outras. A maneira preferida do Criador redimir é através de seres humanos. É por isso que todo o Antigo Testamento aponta para o Grande Ser Humano Rei que um dia viria. O Primeiro

Testamento é a preparação para que o Grande Eu Sou encene a história de Deus no mundo com perfeitas dependência e obediência.

Deus, então, chama e forma um povo para que sirva de modelo para todo o mundo. No meio daquelas pessoas o Todo-Poderoso exerceria seu senhorio. Seu amor se revelaria através de pessoas falhas. Seria, portanto, nas tragédias e nos dramas humanos que Deus mostraria que era diferente dos outros supostos deuses das nações vizinhas.

Conhecemos, assim, a história de Abrão, que depois recebeu o nome de Abraão. A partir dele e de sua esposa, Sara, apesar de suas contradições e pecados, Deus formaria um povo para si. O povo hebreu, que depois se tornaria conhecido como israelitas e, por fim, judeus, seria o laboratório da vida de Deus para o mundo. Ali, naquela sociedade marcada pela aliança com o Deus justo e amoroso, o mundo saberia que há vida e redenção. É verdade que cronologicamente a história de Abraão se encontra antes da de José, mas para os fins que este livro persegue consideraremos dessa maneira a posição das histórias.

Mais do que nunca, uma vez que o pecado se faz presente de maneira avassaladora, carecemos de freios, de cercas e formas de restauração para que não nos destruamos uns aos outros. Eu vejo essa ação de Deus como um sinal de sua graça para conosco. A aliança que ele mesmo fez com seu povo tem em tais meios de graça uma forma de organização do coração humano e da vida comunitária. Quero destacar aqui a Lei e o Tabernáculo como duas mediações de sua presença. A Lei pressiona e o Tabernáculo atrai. Os israelitas teriam o dedo da Lei apontando para eles, mas, ao mesmo tempo, o Tabernáculo seria o local para onde a consciência poderia correr a fim de encontrar graça e perdão. Por mais que a Lei estivesse no coração do Tabernáculo, estando guardada dentro dele na arca da aliança, ele, o Tabernáculo, exercia a função de revelar que há perdão e restauração na presença de Deus. Esse fato é tão real e profundo que um dia, lá adiante na história de Deus, virá Aquele que, ao *tabernacular* entre nós, reunirá em si tanto a Lei quanto o Tabernáculo. Ele será, portanto, a presença encarnada de Deus.

O próprio Redentor tomou a frente na instrução do Tabernáculo. Ele detalhou para Moisés como deveria ser cada elemento de sua morada. O texto sagrado esclarece:

Instrua os israelitas a construírem para mim um santuário, para que eu viva no meio deles. Devem fazer esse tabernáculo e sua mobília de acordo com o modelo que lhe mostrarei. [...]

Coloque dentro da arca as tábuas da aliança que eu lhe darei. Faça a tampa da arca, que é o lugar de expiação, de ouro puro. Deve medir 1,15 metro de comprimento e 67,5 centímetros de largura. Em seguida, faça dois querubins de ouro batido e coloque um em cada extremidade da tampa. Modele um querubim em cada extremidade da tampa, para formar uma só peça de ouro com a tampa. Os querubins ficarão de frente um para o outro, com o rosto voltado para a tampa da arca. Estenderão as asas sobre a tampa para protegê-la. Coloque dentro da arca as tábuas da aliança que eu lhe darei. Ponha a tampa sobre a arca. Ali, sobre a tampa, que é o lugar de expiação, entre os querubins de ouro que estão sobre a arca da aliança, virei ao seu encontro e falarei com você. Dali eu lhe darei meus mandamentos para o povo de Israel.

Êxodo 25.8,16-22

Estar presente no meio do seu povo sempre foi a intenção do Altíssimo. Ele é o Deus próximo, Emanuel. No entanto, ele estabelece limites para nossa convivência. Perceba como é curioso que os mesmos anjos que, com suas espadas de fogo, interditaram para Adão e Eva o acesso ao Jardim do Éden após a queda do primeiro casal, reaparecem agora simbolizados na arca da aliança. O acesso a Deus continua se dando com base em suas regras. Ele mesmo impõe o caminho para nos colocarmos diante dele.

O Tabernáculo, então, seria um lugar de refúgio. Ali o povo encontraria tanto a exortação quanto o acolhimento necessários para sua caminhada.

O desejo de Deus, no final das contas, era gerar novamente a sabedoria que havia se perdido. Por meio de uma vivência constante tendo o Tabernáculo no centro de tudo, os adoradores do Todo-Poderoso seriam exercitados no desenvolvimento da sabedoria.

Deus auxiliaria seu povo a vivenciar sua vontade no mundo por meio da sabedoria espelhada em livros, como, por exemplo, o de Provérbios. A sabedoria acumulada dos pais de Israel se achava ali reunida. No centro da sabedoria estava o Temor do Senhor, a maneira pela qual o profeta Isaías disse que o Servo Sofredor viveria. O Temor do Senhor inspiraria a vida do Filho de Deus. O alvo da Lei e do Tabernáculo, portanto, seria desenvolver a vida de sabedoria que havia sido negligenciada.

O princípio da sabedoria é o Temor do Senhor, disse Salomão em seus Provérbios. Assim nos diz o texto sagrado:

> O temor do SENHOR é o princípio do conhecimento,
> mas os tolos desprezam a sabedoria e a
> disciplina.
>
> Provérbios 1.7

Temer a Deus é viver sob a obediência que seu santo nome exige. Essa postura gera uma forma de enxergar o mundo e de reagir a ele. Temer produz conhecimento do Altíssimo. Quando o temo é engendrado em mim um olhar sobre a vida. Esse temor conclama seu povo a viver de maneira diferente neste mundo. Isso é santidade. Ser santo é viver a partir de um novo *status*. É uma nova categoria de vida. Nossa história de vida, então, deve ser escrita como resposta ao temor do Senhor.

A vida do povo de Deus, sua história de redenção, será embalada não só pela sabedoria, mas também pelo louvor a Deus. O louvor é parte fundamental de nossa caminhada nesta vida. O reconhecimento em adoração ao Eterno já é uma forma de declaração de nossa vitória diante do pecado.

O livro de Salmos é considerado o hinário do povo de Deus. Ler os salmos é entrar em sintonia com o louvor, em forma de poesia, que é fruto de corações que lutaram contra o pecado, mas que se renderam ao Todo-Poderoso.

O Saltério hebraico tem como introdução o conhecido salmo 1, que revela a experiência de um autor que foi impactado pela Palavra, que é mediação da Presença. O autor se viu conduzido à sabedoria pela presença de Deus expressa em sua Lei. Eis as palavras do salmista:

> Feliz é aquele que não segue o conselho dos
>   perversos,
>   não se detém no caminho dos pecadores,
>   nem se junta à roda dos zombadores.
> Pelo contrário, tem prazer na lei do Senhor
>   e nela medita dia e noite.
>
> Salmos 1.1-2

Está claro na mente do salmista que existem conselhos que são maus, frutos de um coração perverso. É exatamente o contrário dos conselhos de sabedoria. A sabedoria flui de um coração redimido, encontrado pela Palavra. A perversidade conduz a uma vida de inveja e ciúme. Os conselhos perversos espelham um coração ressentido contra o mundo. O perverso é aquele que não apenas é alimentado pela mágoa de não ter conseguido o que quer, mas que também tenta, a todo custo, arregimentar mais soldados para seu exército do ressentimento. A Presença mediada pela Lei confronta as intenções más do coração perverso. Por isso o salmista medita na Lei do Senhor a todo instante. A palavra meditar contém a ideia de sussurrar a palavra em voz baixa, para si mesmo. É como uma conversa entre a alma e a Lei de Deus. É repetir, em tom de ensinamento ao coração, as palavras de sabedoria do Altíssimo.

A sabedoria de Deus, então, se instala na vida de todo aquele que medita dia e noite na Lei do Senhor:

> Ele é como árvore plantada à margem do rio,
>   que dá seu fruto no tempo certo.
> Suas folhas nunca murcham,
>   e ele prospera em tudo o que faz.
>
> Salmos 1.3

Ser bem-sucedido aos olhos do Eterno. Tomar decisões corretas. Saber o tempo certo, quando o resultado de nossas ações dará frutos. Tudo isso consiste na prática de viver bem: sabedoria. É a Lei do Senhor construindo o cotidiano da vida. E tudo isso como evidenciado na vida do salmista através do louvor a Deus. A Palavra de Deus posta em prática gera sabedoria e provoca a verdadeira adoração ao Senhor.

Porém, o triste fim dos perversos será uma vida de instabilidade. Buscarão acolhimento para o coração, mas não encontrarão porque buscam em lugares inapropriados. A vida dos que não vivem com base no temor do Senhor será como a palha que os vendavais da vida levam daqui para lá:

> O mesmo não acontece com os perversos!
> São como palha levada pelo vento.
> Serão condenados quando vier o juízo;
> os pecadores não terão lugar entre os justos.
> Pois o Senhor guarda o caminho dos justos,
> mas o caminho dos perversos leva à destruição.
>
> Salmos 1.4-6

Viver com Deus se torna possível quando entendemos que estamos inseridos em uma grande história. Fazemos parte de um plano de redenção que alcançará seu objetivo último apenas no final dos tempos. Enquanto esse dia não vem, o povo de Deus precisará de vozes como a dos profetas para atraírem a atenção dos filhos do Senhor de volta para ele.

5

Deus, o homem e a visão do alto

> Não é relevante saber se Isaías estava ou não literalmente no santo dos santos; ele viu o Senhor lá entronizado. Sabendo-se que somente o sumo sacerdote podia adentrar o santo dos santos e, mesmo assim, apenas uma vez por ano, no dia da expiação, faz toda a diferença saber que Isaías associou a visão que teve com a expiação dos seus pecados.
>
> MARGARET BARKER, *Introdução ao misticismo do templo*

O profeta bíblico é alguém visitado por Deus. A consciência do profeta, conforme nos diz o rabino Abraham J. Herschel, é penetrada pelo *páthos* do Senhor. O Eterno mora na consciência dos homens e mulheres que ele escolhe para serem seus porta-vozes. O profeta se depara com a realidade dura, assustadora e redentora da vontade do Altíssimo. A visão do profeta é a do próprio Deus acerca do mundo e das pessoas. Quando o profeta fala, Deus está falando: *Assim diz o Senhor!*

Deus expõe sua visão das coisas por meio de suas palavras, muitas vezes amargas, proferidas por seus escolhidos. Não é sem razão que todos os que o Eterno chamava para servirem como seus emissários diziam um *não* amedrontado por meio de desculpas esfarrapadas. Moisés, Jeremias, Jonas e tantos outros exemplificam o risco que o profeta corria ao dispor sua consciência às palavras cortantes e agudas do Todo-Poderoso. No caso de Jonas, por exemplo, o profeta se viu acuado frente à misteriosa misericórdia do Altíssimo. Ele não queria entregar à cruel cidade de Nínive o recado controverso, a seus olhos, de um Deus que perdoa pessoas más.

Para a teóloga Margaret Barker, uma das principais funções do profeta era ajudar o povo de Deus a voltar a enxergar. A cegueira havia causado a perda da sabedoria. Restaurar a visão, portanto, seria o centro da missão profética.

Restaurar a visão para enxergar o *quê*? O que estaria em jogo quando as pessoas voltassem a ver? O que o profeta já percebia e que queria agora auxiliar os outros?

Ver a Deus e sua vontade para o mundo era o centro da visão. Apenas os santos veem a Deus.

Por isso o profeta precisava ser, antes de iniciar seu percurso profético, chacoalhado pelo Eterno. Ele precisava se deparar com a santidade do Outro pessoal a fim de se perceber insuficiente e inabilitado para o papel de megafone da santidade. Apenas e tão somente quando ele superasse o primeiro espanto e iniciasse um processo de transformação e aperfeiçoamento do coração, e que duraria por toda a sua vida, é que o servo de Deus estaria pronto.

O profeta Isaías relata da seguinte forma a sua experiência diante da Santidade:

No ano em que o rei Uzias morreu, eu vi o Senhor. Ele estava sentado em um trono alto, e a borda de seu manto enchia o templo. Acima dele havia serafins, cada um com seis asas: com duas asas cobriam o rosto, com duas cobriam os pés e com duas voavam. Diziam em alta voz uns aos outros:

"Santo, santo, santo é o SENHOR dos Exércitos;
toda a terra está cheia de sua glória."

Suas vozes sacudiam o templo até os alicerces, e todo o edifício estava cheio de fumaça.

Isaías 6.1-4

O profeta se vê em um local privilegiado: o trono da glória de Deus. Ali, extasiado, ele *vê* o Santo. Muito provavelmente, comentará Barker, Isaías contempla o próprio Filho de Deus em uma aparição pré-encarnada. A segunda pessoa da Trindade foi vista por Isaías e tal visão preparou, de alguma forma, o que se tornou depois os famosos Cânticos do Servo. O que ele viu? A que Isaías foi submetido? Como essa experiência moldou sua vida? Após o encontro com o Santíssimo, outros profetas, como Jeremias e João de Patmos, também seriam arrebatados ao trono da glória de Deus. O que eles viram?

Eles tiveram acesso ao que está desde a eternidade no plano soberano do Eterno. No caso de Isaías, diante de uma nação que havia perdido a perspectiva do alto em razão de sua cegueira espiritual, Deus trouxe seu escolhido para perto de si a fim de revelar o que sempre esteve no coração do Pai. A experiência de ver constituiria, então, o caminho para a restauração espiritual, em que a sabedoria estaria novamente no seio das relações do povo de Deus. Mais que isso, a Presença se faria concreta e estabeleceria, mais uma vez, a justiça entre o povo escolhido.

Deus mostra com isso que seu plano continua em vigor. Ele não mudou absolutamente nada. Seus desígnios sempre se cumprem. O Eterno estava treinando a imaginação dos profetas e, por conseguinte, de seu povo para avistarem, lá na frente, o dia em que o Grande Escolhido viria para restaurar sua criação de uma vez por todas.

Na época de Isaías, sua visão de Deus mostrou-lhe a disciplina e restauração que o Criador promoveria entre seu povo. Para que a sabedoria voltasse a ser parte integrante da visão de mundo dos israelitas, seria necessário enfrentar o exílio, o cativeiro babilônico. Deus tem seus planos. Ele sabe o que precisará usar para que seu povo volte a enxergar o Santo atrelando suas frágeis vidas à Rocha Eterna.

Observe, agora, a conclusão imediata do arrebatamento espiritual de Isaías:

Então eu disse: "Estou perdido! É o meu fim, pois sou homem de lábios impuros e vivo no meio de pessoas de lábios impuros. Meus olhos, porém, viram o Rei, o Senhor dos Exércitos!". Então um dos serafins voou em minha direção, trazendo uma brasa ardente que ele havia tirado do altar com uma tenaz. Tocou em meus lábios com a brasa e disse: "Veja, esta brasa tocou seus lábios. Sua culpa foi removida, e seus pecados foram perdoados".

Isaías 6.5-7

Nunca é fácil aceitarmos nossa condição de fragilidade. Somos maus. O pó é nossa essência. São muitas as questões não resolvidas em nós mesmos. Fazemos o possível para lançar para as profundezas de nosso inconsciente o mal que insiste em latejar em nossa consciência. Falta-nos coragem para enfrentar o que, volta e meia, vem à tona em nós.

O profeta Isaías se deparou com a santidade do Altíssimo. Ele se percebeu acanhado e pressionado por tanta pureza. O profeta estava representando o próprio povo de Israel, que, ao contrário dele, insistia em não se colocar diante da Santidade.

Colocar-se perante a face do Senhor é necessário para que a cegueira seja curada. Apenas pela iluminação daquele que é a própria Luz é que os olhos espirituais voltariam a perceber a realidade. Isaías precisaria enxergar corretamente a fim de proferir as palavras proféticas para alertar o povo acerca da cegueira de todos.

O tema da cegueira nos toca tanto em nossa humanidade que o grande escritor português José Saramago escreveu seu belo *Ensaio sobre a cegueira* para tratar da falta de visão de cada um de nós. O livro dá conta da cegueira como sendo um tipo de epidemia. Um vai transmitindo para o outro, como um vírus, a cegueira branca, como denominou o Nobel de Literatura.

A vida agitada e exigente nos torna cegos para a realidade mais simples e cotidiana da vida. Os gestos de amor, perdão e misericórdia são esquecidos, pois, supostamente, a vida técnica não combina com tais afetos do coração. Viver bem é assumir uma postura de ogros.

A cegueira branca, existencial, está sempre a nos cercar. Se não tomarmos cuidado ela nos alcançará por meio de outros que já foram infectados.

Lutar contra a cegueira social é insuficiente. Isaías percebeu muito bem que, se quisesse envolver o coração, contra a cegueira, com camadas da glória de Deus, precisaria se colocar diante do Trono. Apenas assim seu ser estaria imunizado contra as investidas da epidemia de cegueira. Ali, no Trono da glória, Deus ordena a seus anjos a cura.

O profeta, então, se percebe curado. O acanhamento dá espaço à alegria do perdão. Os anjos tocam Isaías, e a luz do Altíssimo ilumina a visão espiritual do escolhido do Senhor. Agora, sim, ele estava pronto para ser uma candeia que iluminaria, com a luz do Eterno, o coração e a mente do povo.

Profetizar é iluminar. Aquilo que está obscurecido pelas trevas da ignorância sai da escuridão pela força da luz de Deus. Nada consegue ficar encoberto frente aos olhos de luz do Todo-Poderoso.

Tomado pela inspiração do Eterno, Isaías profere palavras que são tão profundas que nem ele mesmo sabia o alcance que teriam. As palavras proféticas, por trazerem em seu âmago o próprio Jesus Cristo, têm como que uma substância elástica, pois são esticadas pelo próprio Deus para atingirem propósitos aqui e acolá, hoje bem como daqui a séculos. Eis um vislumbre da categoria das palavras do poeta-profeta Isaías:

> Esse tempo de escuridão e desespero, no entanto, não durará para sempre. A terra de Zebulom e de Naftali será humilhada, mas no futuro a Galileia dos gentios, localizada junto à estrada entre o Jordão e o mar, se encherá de glória.

O povo que anda na escuridão
   verá grande luz.
Para os que vivem na terra de trevas profundas,
   uma luz brilhará.
Tu multiplicarás a nação de Israel,
   e seu povo se alegrará.
Eles se alegrarão diante de ti
   como os camponeses se alegram na colheita,
   como os guerreiros ao repartir os despojos.
Pois tu quebrarás o jugo da escravidão que os
      oprimia
   e levantarás o fardo que lhe pesava sobre os
      ombros.
Quebrarás a vara do opressor,
   como fizeste ao destruir o exército de Midiã.
As botas dos guerreiros
   e os uniformes manchados de sangue das
      batalhas
serão queimados;
   servirão de lenha para o fogo.

Pois um menino nos nasceu,
   um filho nos foi dado.
O governo estará sobre seus ombros,
   e ele será chamado de
Maravilhoso Conselheiro, Deus Poderoso,
   Pai Eterno e Príncipe da Paz.

Seu governo e sua paz
jamais terão fim.
Reinará com imparcialidade e justiça no trono
de Davi,
para todo o sempre.
O zelo do Senhor dos exércitos
fará que isso aconteça!

Isaías 9.1-7

Nem mesmo os anjos tiveram acesso à compreensão total de tais palavras. Deus as estava guardando para revelá-las no momento certo, na plenitude do tempo, quando a luz se revelará para curar a cegueira de todos que a reconhecerem como vinda de Deus.

6
Deus, o homem e a boa-nova

> Para que a verdade antropológica seja desvelada, a Cruz é necessária. Esse é o dom do Espírito: só a Cruz pode fazer aparecer a inocência da vítima, fazendo descer o Espírito sobre os discípulos.
>
> RENÉ GIRARD, *Aquele por quem o escândalo vem*

Todos nós gostamos de receber notícias encharcadas de esperança. As boas notícias alegram a face e trazem paz ao coração.

Deus se agrada de nos surpreender com boas-novas de paz e perdão sempre que a vida está marcada por aborrecimentos e momentos aparentemente infindáveis de tédio.

Jesus é, ao mesmo tempo, o Filho de Deus, o novo Adão, humanidade e Israel. Ele reúne em sua pessoa tudo o que o Pai precisaria que seu povo tivesse sido no passado, mas falhou em ser. Jesus, portanto, é ele próprio, mas também se coloca no lugar das instituições que deveriam, de alguma forma misteriosa, preparar e apontar para o futuro glorioso de Deus. Tudo, no passado, foi apenas sombra da verdadeira realidade que é Cristo, o Filho do Homem.

A boa-nova é a notícia carregada de esperança de que a possibilidade de sermos tudo o que Deus nos criou para ser agora se faz real. Em Jesus e por causa dele, Deus viria habitar dentro de nós. Jesus é, ele mesmo, a boa-nova por excelência da parte de Deus para você e para mim. A grande união entre Deus e seu povo que, para os judeus, é simbolizada poeticamente por meio do livro de Cânticos dos Cânticos, que narra o casamento real entre Salomão e Sunamita, se consuma através de Jesus e seus seguidores. O grande casamento espiritual estava acontecendo.

Por meio dessa união espiritual, a Presença se faria definitiva.

O apóstolo João, o escritor do Quarto Evangelho, desenvolve sua versão da vida e ministério do Filho de Deus no mesmo espírito do profeta Isaías. O apóstolo do amor aponta para a Palavra, o Logos, que estava desde o princípio, ou seja, no Trono de glória de Deus, como sendo Aquele que vem para revelar o que está no coração do Pai. Ao contrário do profeta que precisou ser arrebatado até o Trono, João e os demais apóstolos receberam Jesus em seu meio. João tem a palavra:

> Assim, a Palavra se tornou ser humano, carne e osso, e habitou entre nós. Ele era cheio de graça e verdade. E vimos sua glória, a glória do Filho único do Pai.
>
> João 1.14

É importante destacar no texto as expressões *habitou* e *vimos*. A glória de Deus, em sua plena expressão, montou acampamento entre os homens e mulheres de modo que ele pôde ser visto. Vários foram curados de sua cegueira espiritual. A luz, que é Jesus, trouxe claridade a olhos outrora dominados pelas trevas. Muitos outros, porém, recusaram ser curados de sua falta de visão. Deus, por meio do Filho, veio do princípio, onde se faz presente o Trono de glória, para, ao iluminar olhos vendados pelo pecado da inveja e do ciúme, pudesse denunciar o sistema diabólico que vigora no mundo desde que o pecado entrou em nosso meio: a perseguição e a violência entre os seres humanos em decorrências das profundas questões não resolvidas de seus corações maus.

Os Evangelhos, nos diz René Girard, tinham conhecimento do sistema de violência presente nos mitos pagãos. Os evangelistas apontaram para a vida, morte e ressurreição do Cordeiro como sendo o grande foco de luz que iluminou os mitos de sua época. Mas, para isso, Jesus precisaria se entregar como o sacrifício definitivo por toda a humanidade. Ele seria o grande, definitivo e legítimo bode expiatório da raça humana. Por causa de seu sacrifício todos, vítimas e carrascos, seriam alcançados com a bênção do sangue sagrado do Cordeiro. Experimentariam o perdão que, de fato, traz paz e ordem social.

Quando o Cristo iniciou seu ministério para implantar o reino de Deus neste mundo, não apenas comoveu e gerou conversão em muitos. As respostas que ele obteve com seus ensinos e milagres não foram apenas corações gratos e arrependidos. Ele suscitou também muita inveja e ciúme, em especial dos líderes políticos e religiosos de seu tempo. Observe como Lucas, o evangelista, descreve o processo para matar Jesus e a maneira como foi revelada as intenções dos corações humanos:

"Então ele é galileu?", perguntou Pilatos. Quando responderam que sim, Pilatos o enviou a Herodes Antipas, pois a Galileia ficava sob sua jurisdição, e naqueles dias ele estava em Jerusalém.

Herodes se animou com a oportunidade de ver Jesus, pois tinha ouvido falar a seu respeito e esperava, havia tempo, vê-lo realizar algum milagre. Fez uma série de perguntas a Jesus, mas ele não lhe respondeu. Enquanto isso, os principais sacerdotes e mestres da lei permaneciam ali, gritando acusações. Então Herodes e seus soldados começaram a zombar de Jesus e ridicularizá-lo. Por fim, vestiram nele um manto real e o mandaram de volta a Pilatos. Naquele dia, Herodes e Pilatos, que eram inimigos, tornaram-se amigos.

Lucas 23.6-12

O mecanismo perfeito havia se instalado: encontraram alguém que serviria de bode expiatório para que a agitação social se resolvesse. A lógica da perseguição e violência permeava a mente das autoridades, Herodes e Pilatos, que se trataram amistosamente naqueles momentos em que o ódio em seu coração foi canalizado para destruir uma vida inocente. Pilatos estava, agora, frente à multidão que queria a cabeça de Jesus. Eles tinham vingança nos olhos.

As multidões recebem papel de destaque nos Evangelhos. A princípio, elas desenvolvem uma relação de admiração por Jesus. Aquele aglomerado de pessoas perseguia alguém que suprisse suas demandas. Aparentemente, encontraram no Filho de Deus tal pessoa. Talvez por isso Jesus tenha dito que elas eram "como ovelhas sem pastor" (Mt 9.36). Aquelas pessoas estavam sedentas. Ansiavam por ter suas expectativas saciadas. Jesus, apesar de ter sentido compaixão delas, conhecia suas reais intenções. No meio da multidão há pessoas sinceras e realistas. O desejo humano, contudo, faz exigências que tendem a fugir da realidade. A sinceridade de alguns é sufocada pela maldade da maioria. Bastou Jesus ter dito em um de seus sermões que muitos o seguiam tão somente por suas multiplicações de pães para que muitos de seus seguidores o rejeitassem. Passaram, creio eu, a odiá-lo. O ódio por alguém nasce, via de regra, quando nossos desejos, sejam eles quais forem, não são atendidos. Aquela pessoa passa a se tornar para nós em um obstáculo, um bode expiatório. Ela impediu o fluir da alegria, pensam os frustrados.

Não é coincidência que, no dia do julgamento do Mestre, Pilatos se dirija *à* multidão. Ele pergunta quem eles escolheriam para ser liberto naquele dia: Jesus ou Barrabás. O filósofo espanhol José Ortega y Gasset, em seu magistral livro *A rebelião das massas*, diz que desde sempre a opinião pública, representada pelas multidões, decide o futuro da sociedade. Pilatos quis consultar a opinião pública acerca do que fazer com Jesus. O mais grave, contudo, é que a multidão é misteriosamente violenta. Quando nos juntamos a um grande contingente de pessoas que têm as mesmas intenções, algo mágico acontece. É como se meu eu se diluísse e se integrasse a algo maior, conduzindo-me a realizar desejos que talvez já estivessem armazenados em minha alma, ainda que latentes. Quando dou por mim já estou bradando as mesmas palavras que a multidão vocifera.

É por essa razão que a multidão, já irada com Jesus por sua repreensão no momento da busca pelo pão que logo perece, não apenas escolhe pela libertação de um criminoso como Barrabás, mas, ao mesmo tempo, diz sobre Jesus: "Crucifique-o! Crucifique-o!" (Lc 23.21).

A multidão é cega. Não consegue enxergar nada além de suas exigências transformadas em apetites primitivos.

Jesus morreria também pelas multidões. Um dia, ele sabe muito bem, gente de toda língua e nação, uma multidão, adorará aquele que venceu a morte. Até as multidões serão redimidas.

A morte de Jesus implica muitos elementos. É importante percebermos as várias facetas desse fato tão cruel.

- Jesus morreu para cumprir a vontade do Pai.
- Jesus morreu para saciar a fome que a Lei tinha de sangue.
- Jesus morreu para aplacar o desejo presente em todas as culturas de fazer seus bodes expiatórios.
- Jesus morreu porque gerou inveja e ciúme no coração dos líderes de sua época.
- Jesus morreu porque ele mesmo se entregou.

Uma vida como a de Jesus, a Palavra que ilumina os olhos cegos, não teria como ter uma morte simples. Sua morte tinha muitas variáveis implicadas. Uma vida plena conduz a uma morte complexa. Todo um plano estava por trás da sentença de morte de Cristo.

Jesus, portanto, se entrega como sacrifício por você e por mim. Só assim nossos olhos seriam iluminados para que percebêssemos o mal presente em nós e no mundo. O Filho do Homem morreu para escancarar nossa hipocrisia e inveja. As máscaras estavam prestes a cair. A boa-nova significa que Alguém teve a coragem de se tornar sacrifício por homens e mulheres que fazem mal uns aos outros. Jesus é o antítipo de Abel e de José, homens que com seus sofrimentos representaram a morte do Filho de Deus. Ele torna plena a vida desses heróis do passado bíblico. Jesus explica a vida de tais personagens. O Filho de Deus expõe a razão do sofrimento deles ao se tornarem alvos da inveja e do ciúme, uma vez que ele havia vivenciado tudo isso na pele.

A cena estava posta diante de todos: Jesus foi declarado culpado de algo que não havia feito. Aparentemente a violência injusta, explicada e sacramentada nos mitos pagãos, havia se imposto novamente. Os homens maus haviam vencido:

Já era cerca de meio dia, e a escuridão cobriu toda a terra até as três horas da tarde. A luz do sol desapareceu, e a cortina do santuário do templo rasgou-se ao meio. Então Jesus clamou em alta voz: "Pai, em tuas mãos entrego meu espírito". E, com essas palavras, deu o último suspiro.

Lucas 23.44-46

Ainda assim, frente ao ódio de tantos e à indiferença de muitos outros, Jesus profere aquela que é a sentença que quebra o ciclo de violência e que abriria espaço para a possibilidade do amor sacrificial de Deus guiar os relacionamentos:

Jesus disse: "Pai, perdoa-lhes, pois não sabem o que fazem". E os soldados tiraram sortes para dividir entre si as roupas de Jesus.

Lucas 23.34

Acabou.

A morte venceu.

Os homens poderosos e a multidão em forma de horda sedenta por sangue tiveram a última palavra.

Lucas faz questão de destacar que houve *escuridão* ao meio-dia. O sol se escondeu com vergonha da maldade dos homens. As trevas ousaram assumir o cenário no qual a morte cruel dava o tom ao enredo.

A esperança de tantos que depositaram no rabino de Nazaré a concretização do novo tempo de amor, justiça e alegria chegava ao fim.

Voltem para casa!

Vão antes que vocês também sejam perseguidos e mortos!

A vida é assim mesmo: injusta, cruel, e de forma soberba rouba nossas alegrias.

A morte deu a sua última e maior sentença.

Não adianta lutar contra ela.

Ela sempre vencerá!

A morte é desordem, é bagunça.

A morte subtrai. Ela é egoísta.

Ela só compartilha tristeza e dor, pois são partes integrantes de sua missão rebelde.

O vazio se impôs como nunca na história.

O caos engolfava a todos.

Tudo havia perdido o sentido.

Escuridão!

Medo!

Solidão!

Tudo parecia entregue à morte e a desordem definitivas.

Até que a ordem do Alto é dada. A morte recebeu sua sentença. O Todo-Poderoso intervém com sua palavra de vida. No terceiro dia a vida começaria a trazer nova esperança:

> As mulheres ficaram amedrontadas e se curvaram com o rosto em terra. Então os homens perguntaram: "Por que vocês procuram entre os mortos aquele que vive? Ele não está aqui. Ressuscitou! Lembrem-se do que ele lhes disse na Galileia. É necessário que o Filho do Homem seja traído e entregue nas mãos dos pecadores, seja crucificado e ressuscite no terceiro dia".
>
> Lucas 24.5-7

Ele mesmo já havia dado vislumbres da ressurreição, tanto no Antigo quanto no Novo Testamento. A própria morte tinha conhecimento de seu fim.

O Eterno é o Deus da vida. Ele não se cansa de ser Aquele que semeia vida em sua criação. A vida está sempre latejando. Ainda que, muitas vezes, ela aparentemente esteja silenciosa, sempre testemunharemos sua insistente presença.

Deus ressuscita seu Filho de maneira tremenda e inesperada! O povo de Deus, Israel, esperava a ressurreição, mas apenas no final dos tempos. Eles jamais imaginariam que ato tão poderoso de Deus se daria ali, na cara deles. O início da restauração de todas as coisas passava diante de todos. A ressurreição é o *start* do novo céu e da nova terra.

O Sol da justiça de Deus voltou a brilhar, e agora para sempre, definitivamente. O Evangelho de Lucas faz questão de relacionar a ressurreição de Jesus com a luz do dia: "No primeiro dia da semana, bem cedo, as mulheres foram ao túmulo" (Lc 24.1). O sol que nos aquece é uma metáfora do poder da ressurreição. O raiar de um novo dia é um prelúdio da nova vida trazida pela ressurreição do Filho de Deus. É a misericórdia de Deus, conforme nos diz o profeta Jeremias, se renovando a cada manhã. Portanto, da mesma forma que temos a certeza de que amanhã o sol estará lá, cumprindo seu papel, a misericordiosa ressurreição de Jesus também agirá para gerar vida em nós, meros mortais.

Esse ato unilateral do Pai em seu Filho amado gerou, entre tantos sentimentos, alegria nos seguidores de Jesus Cristo. A alegria verdadeira se ancora na pessoa de Deus e em seus atos de bondade. Não dependemos das coisas passageiras e vãs deste mundo para desfrutarmos de instantes intensos de alegria. O prazer de se perceber alcançado pela ressurreição de Jesus é tudo de que você e eu precisamos para alcançar real sentido para nossa existência.

A ressurreição do Filho de Deus, portanto, revela a não aceitação por parte do Pai de que a injustiça sempre impere. A Palavra definitiva de Deus, por meio da ressurreição de Jesus, escancara a verdade de que ele não compactua com os rastros da morte neste mundo. A morte não é bem-vinda.

A partir da ressurreição do Filho, Deus inicia a comunidade que servirá de *outdoor* do amor e do perdão para o mundo. Por meio de sua Igreja o mundo poderá compreender que a misericórdia é melhor que o sacrifício. A Igreja de Jesus, então, será a grande marca de seu amor no mundo.

7
Deus, o homem e a nova sociedade

> A gloriosa Cidade de Deus prossegue em seu peregrinar através da impiedade e dos tempos, vivendo cá embaixo, pela fé, e com paciência espera a firmeza da mansão eterna, enquanto a justiça não se converte em juiz, o que há de conseguir por completo, depois, na vitória final e perfeita paz.
>
> AGOSTINHO DE HIPONA, *Cidade de Deus*

Agostinho de Hipona imaginou a Igreja de Jesus como sendo a Cidade de Deus. Uma cidade firmada na humildade e no amor sacrificial do Cordeiro de Deus, ao contrário da Roma de sua época.

Roma, a suposta cidade iluminada, era permeada pelas trevas da arrogância e da opulência. Segundo estudiosos, Roma tem em seu mito de fundação vários assassinatos decorrentes de rivalidades motivadas pela inveja e o ciúme. Os irmãos gêmeos Rômulo e Remo, supostos fundadores de Roma, protagonizaram atos de violência e homicídio. Rômulo teria matado Remo por causa de limites territoriais e depois foi morto por uma horda sedenta por vingança. Em razão disso o povo romano, inspirado em seu mito de fundação, seria violento e tenderia ao assassinato coletivo.

Para falar da Cidade fundada no amor fiel de Deus, irei me inspirar no grande bispo africano, mas chamarei a Igreja de Jesus de a Nova Sociedade. Uma sociedade de homens e mulheres livres por causa do que Alguém lhes fez. Tal sociedade possui como contrato social a aliança eterna de Deus, cujo cerne é a graça e o amor fiéis do Eterno.

O Rei eterno é o Senhor da Nova Sociedade, e ele tem em seu sangue a garantia de que ela jamais será abalada, ao contrário dos grandes impérios humanos que têm no sangue do outro humilhado e subjugado a suposta certeza de que durará para sempre.

Por causa de seu ato de amor sacrificial, Jesus Cristo garantiu sua presença de modo definitivo no meio da Nova Sociedade. Para entender e experimentar a redenção que há em Jesus, basta participar de sua sociedade.

O apóstolo Paulo, bem antes de Agostinho, já havia entendido que Jesus fundara uma Nova Sociedade que representaria a ele mesmo neste mundo. Pessoas de várias nações, línguas e culturas fariam parte desse povo. Paulo assim se expressou:

> Nossa cidadania [...] vem do céu, e de lá aguardamos ansiosamente a volta do Salvador, o Senhor Jesus Cristo.
>
> Filipenses 3.20

Paulo, o apóstolo, está dizendo que nossa cidadania, a Sociedade a que pertencemos, desce do céu para nós. Do Trono da glória veio nosso "registro e cadastro de pessoa física". Somos daqui, mas, ao mesmo tempo, de outra sociedade. É como se tivéssemos dupla cidadania.

Representar o Rei na Nova Sociedade se dá não apenas por meio da conversão. Nascer de novo é o critério básico e primeiro para poder ser considerado membro da Nova Sociedade estabelecida por Jesus.

Paulo conhecia muito bem os sistemas de conduta de sua época. Certamente ele mesmo, ainda que judeu, foi influenciado pelas regras de comportamento baseadas nas listas de vícios e de virtudes do filósofo Aristóteles. A formação do comportamento tem por base os hábitos. Para Aristóteles, a maneira adequada de se comportar na pólis resultaria de hábitos virtuosos. Por meio de hábitos virtuosos, seria possível implementar uma maneira unânime do que seria certo ou errado. O que fosse correto aos olhos da maioria da pólis é o que deveria ser considerado melhor para todos. Isto é, existia uma maneira absoluta e reconhecida socialmente de se alcançar a felicidade. A prática da virtude visava a um fim específico no qual a realização pessoal e coletiva se fazia presente. A boa vida estava no final do corredor cuja porta de entrada era a prática das virtudes.

Falar de praticar as virtudes em nosso mundo atual é um enorme desafio. Até porque não se tem mais noção do que seja certo ou errado. Não existe sequer unanimidade quanto ao que é melhor para todos. O eu puramente individualista venceu a batalha. A primeira pergunta que fazemos hoje é: o que é melhor para mim? O filósofo escocês Alasdair MacIntyre chamou esse eu contemporâneo de emotivista:

Emotivismo é a doutrina segundo a qual todos os julgamentos valorativos e, mais especificamente, todos os julgamentos morais *não são senão* expressões de preferências, expressões de pontos de vista e sentimentos, na medida em que são morais ou valorativas em seu caráter.

Emotivismo é, pois, uma teoria que tem pretensões de dar explicações sobre absolutamente *todos* os julgamentos morais.[1]

O eu emotivista é frágil e encontra nas emoções subjetivistas a forma de avaliar o que é bom para a vida. É um eu mimado. Acostumado a uma vida fácil. Tudo é para mim e do meu jeito. Portanto, como disse MacIntyre, o que é bom e mau passa apenas e tão somente pelo crivo de meu olhar tacanho sobre a vida. Se eu decidir, a partir de minhas emoções adoecidas, que é melhor viver na mentira, assim o farei. Para tal pessoa não deve existir uma forma objetiva de afirmar o que seja verdade ou mentira, pois essa atitude revela autoritarismo. O universo obedece, assim, a minhas preferências individualistas. Não precisamos

---

[1] Alasdair MacIntyre, *Depois da virtude: Um estudo sobre a teoria moral* (Campinas, SP: Vide Editorial, 2021), p. 39 (grifos do autor).

ir muito longe para entender a razão do mundo estar como está.

Viver na Nova Sociedade é ter o eu crucificado em Cristo Jesus. Para estar na Sociedade redentora é preciso um novo eu. Um eu que não vive mais apenas em busca de como realizar-se a despeito do restante da sociedade, mas sim um eu que se entendeu amado, perdoado e reconciliado pelo Filho de Deus e que, por isso, pode viver intensamente amando e perdoando os outros.

Agora estamos prontos para ouvir do apóstolo Paulo o que ele entendia sobre como viver na Nova Sociedade. Ele foi além de Aristóteles e criou sua própria lista de vícios, que ele chamou de "obras da carne", e de virtudes, que ele designou "fruto do Espírito".

Paulo nos dirá que produzimos naturalmente as obras da carne em nós. Nosso velho eu tem compromisso com o erro e a maldade. Estamos, quase que por instinto, propensos a desenvolver hábitos pecaminosos.

Por experiência própria, Paulo tem a consciência de que sozinho ele jamais conseguiria praticar a lista de virtudes do Espírito. Assim, ele escreve em Gálatas 5.16: "Por isso digo: deixem que o Espírito guie sua vida. Assim, não satisfarão os anseios de sua natureza humana". A Lei santa, dada por Deus para guiar seu povo, estava enfraquecida por causa do pecado que habita em nós. Ela não conseguiu cumprir seu papel porque o pecado fez uso dos recursos da Lei para nos enganar e oprimir. Os mandamentos de Deus, em vez de gerarem vida, que é seu objetivo, sufocaram nosso ser a ponto de nos fazer sentir mortos. Apenas o Espírito Santo seria capaz de nos libertar da escravidão do pecado e do jugo da Lei para que conseguíssemos dar fruto. É por causa dessa verdade que a Lei, ao perceber que o Espírito conseguiu realizar o que ela se viu impedida, aplaudiu a Deus. Por isso Paulo escreve: "Não há lei contra essas coisas!" (Gl 5.23). A Lei se satisfez ao se deparar com a obra que o próprio Deus havia realizado tornando os pecadores semelhantes ao Filho Amado.

Dito isso, foquemos nosso olhar na lista de virtudes do Espírito trazendo à tona seu principal fruto/virtude: *o amor.* Assim diz Paulo:

Mas o Espírito produz este fruto: amor, alegria, paz, paciência, amabilidade, bondade, fidelidade, mansidão e domínio próprio. Não há lei contra essas coisas!

Gálatas 5.22-23

Não é à toa que Paulo inicia pelo amor sua lista de virtudes. O amor de Deus, revelado em Jesus Cristo, é a grande marca do cristianismo. É amando que cumprimos a vontade de Deus. O amor a Deus e ao próximo é a coisa em si. É o resumo de tudo.

Desde o Antigo Testamento o amor já está no centro da vontade de Deus para os seres humanos. Seu povo deve ser a encarnação do amor. Se você parar para ler atentamente os Dez Mandamentos, no livro sagrado de Êxodo, verá que a inspiração de cada sentença é o amor a Deus e ao próximo. No início do Decálogo está o perigo da idolatria, o oposto do amor a Deus. Assim nos diz Moisés:

Então o Senhor deu ao povo todas estas palavras:

Eu sou o Senhor, seu Deus, que o libertou da terra do Egito, onde você era escravo.
Não tenha outros deuses além de mim.
Não faça para si espécie alguma de ídolo ou imagem de qualquer coisa no céu, na terra ou no mar.

Não se curve diante deles nem os adore, pois eu, o SENHOR, seu Deus, sou um Deus zeloso.

Êxodo 20.1-5

A adoração envolve o amor. No centro da devoção está o afeto, o apego. Todo ato de amor, contudo, traz consigo a imitação de nosso objeto de amor. Isso é o que está por trás das palavras sobre o amor a Deus acima de todas as coisas. Nada, nem ninguém, pode tomar o lugar do amor supremo em nosso coração. Vale a pena resgatar as palavras sagradas do Livro de Deuteronômio:

Ouça, ó Israel! O SENHOR, nosso Deus, o SENHOR é único! Ame o SENHOR, seu Deus, de todo o seu coração, de toda a sua alma e de toda a sua força.

Deuteronômio 6.4-5

Esse é o famoso *Shemá* de Israel. É o centro da fé israelita. Deus é único, portanto devemos amá-lo acima de todas as coisas. O monoteísmo de Israel tem em seu âmago o chamado ao amor apenas ao Eterno. Ao amar a Deus, eu lhe obedecerei amando meu próximo e não desejando, consequentemente, prejudicá-lo. O amor ao próximo deriva do amor a Deus. O amor a Deus é o que dá equilíbrio e direção ao amor a meu semelhante.

Certamente o apóstolo Paulo baseou sua ideia de amor nas palavras antigas, do Primeiro Testamento. Moisés foi o pensador-profeta sobre cujos ombros o apóstolo subiu para compreender algo tão arrebatador.

Mas foi com outra pessoa que Paulo chegou ao significado último sobre o amor: o próprio Jesus Cristo. Creio que Paulo ouviu, talvez da boca de um dos primeiros apóstolos, estas palavras:

> Por isso, agora eu lhes dou um novo mandamento: Amem uns aos outros. Assim como eu os amei, vocês devem amar uns aos outros. Seu amor uns pelos outros provará ao mundo que são meus discípulos.
> João 13.34-35.

Jesus Cristo é o padrão do amor. Com ele aprendemos que o amor, antes de ser essa coisa melosa e ressentida de nossos dias, é a maneira pela qual Deus mostra que está ao nosso lado. Esse amor, portanto, tem empatia pela condição do outro, mas também se disponibiliza a auxiliar esse outro a avançar em sua jornada de maturidade nesta vida. O amor é dinâmico ao exigir de nós uma vida nova. Ele jamais permitirá que nos sintamos apenas confortados por sermos recebidos e acolhidos. O amor vai além e nos impulsiona para que sejamos pessoas de caráter, que refletem o próprio Jesus neste mundo.

Convém trazer à baila aqui as belas palavras de C. S. Lewis: "Deus é amor, mas o amor não é Deus. Se adorarmos o amor ele se transformará em um demônio e nos aprisionará".

Vivemos tempos de adoração ao amor. Agostinho de Hipona já enfrentava desafios semelhantes em sua época quando o Império Romano erigia altares ao deus alegria. A adoração ao amor é parte do processo que culminou no eu emotivista. Tudo se faz hoje em nome do amor. Se o amor está presente, tudo vale a pena. O amor é a justificativa, *a priori*, para todas as minhas decisões.

Se olharmos com cuidado para a descrição do amor nas Sagradas Escrituras, veremos que se trata de um modo de vida que encontra nos mandamentos de Deus sua forma de organização. O amor implica limites. Ele é o nascedouro e o resultado dos mandamentos. Todos os mandamentos apontam para ele, e ele é a meta de cada um dos mandamentos bíblicos.

Pensando, então, nas virtudes, o amor guia nossas ações virtuosas: uma vez que eu amo a Deus e ao próximo, serei bondoso para com aqueles que me cercam. O amor organiza minha vida. Se eu amo como Deus me amou, serei alguém decente na sociedade.

Os participantes da Nova Sociedade têm no amor bíblico sua regra de conduta. Poderemos, portanto, medir a vida de alguém por meio da ordenança do amor. Essa medida não se dá a partir de uma concepção meramente ensimesmada do que seja o amor. O amor conforme revelado nas Escrituras Sagradas e em Jesus Cristo é de onde partimos para criar nossas regras de conduta. Os hábitos virtuosos produzidos em nós pelo Espírito Santo serão o modo de ser dos que habitam a Nova Sociedade.

Portanto, no amor há os *sins* e os *nãos* de Deus. O amor não é um cheque em branco para fazermos o que bem quisermos. É por meio dele, o amor, que Deus nos cobrará no último dia.

Será na prática constante do amor, como a virtude cardeal, que desenvolveremos hábitos santos de modo que a Presença seja vista em nós.

8
Deus, o homem e o início do fim

> Em Jesus encontramos o fim do mundo, em ambos os sentidos de fim, isto é, tanto de finalidade quanto de término.
>
> ROBERT HAMERTON-KELLY, *Política & Apocalipse*

O fim está próximo! Essa é uma das frases que estruturam o pensamento do Novo Testamento. A partir da ressurreição do Senhor Jesus Cristo a história começa a caminhar para seu término. Jesus, o Alfa e o Ômega da história, conduz todos os acontecimentos, desde a criação de todas as coisas, para seu objetivo final. Na verdade, a história aponta para ele mesmo, o Filho de Deus. Tudo, um dia, se encaixará em um todo harmônico. Nada ficará de fora. Cada fato da vida de cada um de nós, sejam doenças, catástrofes ou guerras, participará misteriosamente da grande sinfonia do Cordeiro. O Senhor da glória fará uso de tudo. Seu processo de redimir toda a criação usará os momentos bons e ruins de nossa história pessoal a fim de expor seu poder sobre o mal.

Um dia, o lobo se deitará com o cordeiro e uma criança guiará a ambos.

Sabiamente o teólogo Fabrice Hadjadj destacou que Jesus Cristo, mesmo já tendo sido ressuscitado, ainda carrega suas chagas. As chagas são as marcas dolorosas que o mundo aplicou sobre cada um de nós. Jesus foi à nossa frente no processo de ressurreição e mostra que a redenção envolve tanto as dores quanto as alegrias desta vida.

Nossos olhos estão voltados agora para o último capítulo da história redentora de Deus. O Apocalipse é o livro que encerra a Biblioteca Sagrada do Eterno. O Apocalipse se enquadra no que ficou conhecido como literatura apocalíptica. É um modo de escrever que faz uso de imagens grandiosas de monstros, enigmas e seres estranhos. Tendo início no livro do profeta Daniel, a literatura apocalíptica põe um acento agudo na forma de apresentar literariamente o início do fim de todas as coisas. A própria criação de Deus ganha um tom agigantado para enfatizar o cumprimento de sua vontade. A criação está à disposição do Todo-Poderoso em cumprimento de seus desígnios. O gigantismo das formas usadas pelo último livro da Bíblia exprime a inflação do tempo, seu momento derradeiro. Tudo está sob pressão uma vez que se direciona para o estabelecimento permanente da justiça de Deus. O mundo mau está em guerra contra o Criador. Tudo o que é estranho à criação de Deus está em conluio para tentar destruir o povo da ressurreição. As imagens de monstros com várias cabeças espelham a desarmonia da não criação de Deus. Tudo o que se coloca contra ele perde sua beleza e se torna, portanto, monstrificado. São os Frankensteins da não criação. Esse é o perfil dos anticristos. A literatura apocalíptica percorre um caminho estranho a nós, desacostumados a metáforas tão assustadoras. Mesmo assim, essa forma de descrever a realidade conseguiu entrar no imaginário popular do mundo ocidental e resultou nos muitos filmes de temas apocalípticos de Hollywood.

Acima de toda a desarmonia do mundo se encontra o Cordeiro, assentado no Trono da glória. João de Patmos, o profeta visionário, é arrebatado no domingo da ressurreição: "Era o dia do Senhor, e me vi tomado pelo Espírito" (Ap 1.10).

Muitos estudiosos concordam que esse João é o mesmo que escreveu o Quarto Evangelho e três epístolas do Novo Testamento. Faz todo o sentido, pois o que vemos em suas palavras no Apocalipse confirmam muito do que ele já tinha dito em outros lugares. Aqui, ele afirma:

> Eu, João, escrevo às sete igrejas na província da Ásia. Graça e paz a vocês da parte daquele que é, que era e que ainda virá, dos sete espíritos que estão diante de seu trono, e de Jesus Cristo. Ele é a testemunha fiel destas coisas, o primeiro a ressuscitar dos mortos e o governante de todos os reis da terra. Toda a glória seja àquele que nos ama e nos libertou de nossos pecados por meio de seu sangue.
>
> Apocalipse 1.4-5

João se encontra, novamente, diante do princípio, no Trono da glória. Nele os grandes profetas receberam suas visões acerca do futuro da história. Isaías e Ezequiel, por exemplo, se uniram a João nessa experiência de arrebatamento espiritual quando foram conduzidos por Deus ao Trono de onde fluem poder, soberania, sabedoria e conhecimento.

Jesus Cristo, o Cordeiro que venceu, revela agora o que desde sempre residia no coração de Deus. A vontade de Deus, como sempre, prevaleceria. O mal seria, de uma vez por todas, vencido e subjugado. Para que isso acontecesse, contudo, deveria existir um processo. Apenas no tempo de Deus tudo se cumpriria. João, o visionário, estava diante do já e do ainda não do Cordeiro. O fim já está em curso, mas ainda não provamos dele plenamente. Já estamos no tempo do fim. No último capítulo da história. Todos já embarcamos na aeronave, e ela plaina no Novo Céu do Eterno. Falta, agora, pousarmos na Nova Terra.

O Apocalipse nos mostra que a maldade que impera no mundo encontra sua gênese no desejo humano distorcido. A inveja e o ciúme, que nasceram lá no Éden, fruto da vontade desviada do primeiro casal, estão por trás dos abusos de poder das autoridades, do consumo desenfreado e de toda pompa humana. A guerra de egos se intensificou como nunca na história. Assim, o Apocalipse enquanto revelação despe de uma vez por todas as motivações do coração humano. Nada mais fica oculto perante as palavras reveladoras do Altíssimo.

A pergunta angustiante a que o Apocalipse responderá é: quem será capaz de levar a história ao fim e implantar a era de redenção? Seria algum

imperador? Ou mesmo um governante poderoso?
Eis as palavras proféticas:

> Então, na mão direita daquele que estava sentado
> no trono, vi um livro, escrito por dentro e por fora
> e lacrado com sete selos. Vi um anjo poderoso que
> perguntava em alta voz: "Quem é digno de romper
> os selos deste livro e abri-lo?". Mas não havia nin-
> guém no céu, nem na terra, nem debaixo da terra,
> que pudesse abrir o livro e lê-lo.
>
> Apocalipse 5.1-3

João, o visionário, se desespera, pois sabe que
tal livro diz respeito ao futuro do mundo. À primeira vista não havia ninguém capaz de tomar
o livro do destino do mundo e abri-lo a fim de
apontar o que de fato aconteceria com as pessoas
diante do sofrimento causado pelo mal. O relato,
angustiado, prossegue:

> Comecei a chorar muito, pois não se encontrou
> ninguém digno de abrir o livro e lê-lo. Então um
> dos 24 anciãos me disse: "Não chore! Veja, o Leão
> da Tribo de Judá, o herdeiro do trono de Davi, con-
> quistou a vitória. Ele é digno de abrir o livro e os
> sete selos".

Então vi um Cordeiro que parecia ter sido sacrificado, mas que agora estava em pé entre o trono e os quatro seres vivos e no meio dos 24 anciãos.

Apocalipe 5.4-6

As palavras *Leão* e *Cordeiro* não estão ali à toa. Jesus se fez cordeiro para ser transformado em leão. A fraqueza e a força, em absoluto equilíbrio, são as parteiras de um novo mundo. A entrega humilde e a restauração poderosa estão no *background* do mundo. Não é pela força humana, e sim pelo poder de Deus, o Alfa e o Ômega da história, que todas as coisas serão restauradas. Nada de pompa ou de espírito de celebridade. É na mansidão da entrega do cordeiro para ser sacrificado por amor ao mundo e para que o mal seja extirpado, que o Todo-Poderoso injeta sua força redentora no mundo.

Jesus, o Cordeiro e Leão, tem nas mãos o livro e ele é capaz de arrancar os selos, pois é o destinatário legítimo de tudo o que ali está escrito. O Filho do Homem não é apenas o que tem a autoridade para abrir o livro; somente ele pode levar a cabo o plano de Deus de julgar o mal e restaurar a criação conforme registrado no livro.

É sobre tudo isso que as sete igrejas da antiga Ásia menor e a Igreja de todos os tempos estavam sendo alertadas:

> Portanto, escreva o que viu, tantos as coisas que estão acontecendo agora como as que acontecerão depois. Este é o significado do mistério das sete estrelas que você viu em minha mão direita e dos sete candelabros de ouro: as sete estrelas são os anjos das sete igrejas, e os sete candelabros são as sete igrejas.
>
> Apocalipse 1.19-20

Não há mais tempo para brincar de ser discípulo de Jesus Cristo. O fim já está próximo. É necessário que a Igreja não esmoreça frente às pressões das bestas e dos anticristos. O já e o ainda não abrem espaço para um hiato, quando as forças do mal lutarão com todas as armas possíveis visando enfraquecer e neutralizar o testemunho da Igreja do Cordeiro. Cabe a nós nos colocarmos em guarda. A história não é neutra. Alguém ou algum sistema sempre tentará assumir o cenário e influenciar as decisões das pessoas. O discípulo do Leão não deve ser tábula rasa, um maria-vai-com-as-outras. Temos uma mensagem poderosa de restauração que precisa ser anunciada em todos os lugares do mundo até que ele venha. A Igreja tem apenas um supremo Senhor que rege o mundo e que conduzirá todas as coisas para seu fim pré-estabelecido: *Jesus Cristo*.

A maldade do mundo já está com seus dias contados. No último dia, o mal não mais habitará na grande cidade do Cordeiro. Não haverá espaço para ações de violência.

> Nenhum mal terá permissão de entrar, nem pessoa alguma que pratique o que é vergonhoso ou enganoso, mas somente aqueles cujos nomes estão escritos no Livro da Vida do Cordeiro.
>
> Apocalipse 21.27

Apenas com uma espada que sai de sua boca o Cordeiro vencerá seus inimigos. A própria Palavra será a responsável por aniquilar os que se colocam contra Deus e seu povo. Os inimigos de Deus, a morte sendo o mais poderoso, são uma manifestação do pecado e de Satanás. Os rastros da morte, encarnados na cidade do mal, Roma, ficarão fora da cidade da redenção. Babilônia ficará para trás a fim de que a Nova Jerusalém desça dos céus.

O Apocalipse, além de ser um livro que traz esperança aos que esperam em Deus, serve também como alerta para os que se iludem com ideologias humanas que prometem o céu na terra. Homem nenhum será capaz de derrotar o mal por definitivo. Engenharia social nenhuma terá a habilidade de reformar a sociedade.

Apenas o Cordeiro, que é também Leão, poderá nos entregar um novo espaço para vivermos. Ele já está construindo nossa futura morada. A cidade é o resultado dos esforços criativos dos seres humanos. O mundo começa em um jardim e encerra em uma cidade. Ela é o fruto da criatividade dos que foram feitos à imagem e semelhança de Deus. É possível que, de uma maneira ainda não compreendida, os redimidos contribuam com o Senhor na construção da nova cidade. Nossas ações feitas em amor nesta vida são sementes para o futuro mundo que virá pelas mãos do Todo-Poderoso.

A visão fantástica de João volta novamente ao centro:

Então vi um novo céu e uma nova terra, pois o primeiro céu e a primeira terra já não existiam, e o mar também não mais existia. E vi a cidade santa, a nova Jerusalém, que descia do céu, da parte de Deus, como uma noiva belamente vestida para seu marido.

Ouvi uma forte voz que vinha do trono e dizia: "Vejam, o tabernáculo de Deus está no meio de seu povo. [...] O próprio Deus estará com eles. Ele lhes enxugará dos olhos toda lágrima, e não haverá mais morte, nem tristeza, nem choro, nem dor. Todas essas coisas passaram para sempre".

E aquele que estava sentado no trono disse: "Vejam, faço novas todas as coisas!". Em seguida, disse: "Escreva isto, pois o que lhe digo é digno de toda confiança e verdadeiro". E disse ainda: "Está terminado! Eu sou o Alfa e o Ômega, o Princípio e o Fim. A quem tiver sede, darei de beber gratuitamente das fontes da água da vida. O vitorioso herdará todas essas bênçãos, e eu serei seu Deus, e ele será meu filho".

Apocalipse 21.1-7

A renovação da vida, tão esperada por todos nós, já está em curso. Deus mesmo garante, por meio da morte e ressurreição de seu Filho, que a Cidade Santa está em fase de acabamento. O próprio Eterno habitará de uma vez por todas no meio da cidade. A Presença será vista e adorada como um fluir constante do coração. Nada mais impedirá a comunhão ininterrupta com o Amado de nossa alma.

Lá, na Cidade Santa, o caos e a desordem simbolizados pelo mar já estarão relegados ao passado, quando o mundo ainda estava sujeito ao mal:

> Então vi um novo céu e uma nova terra, pois o primeiro céu e a primeira terra já não existiam, e o mar também não mais existia. E vi a cidade santa, a nova Jerusalém, que descia do céu, da parte de Deus, como uma noiva belamente vestida para seu marido.
>
> Apocalipse 21.1-2

O final do livro traz uma expressão que aparecerá repetidas vezes, a começar pelos lábios de Jesus, e depois como um clamor de todos. A volta do Cordeiro é o sinal da grande restauração de tudo o que se perverteu pela maldade. Jesus voltará não apenas para resgatar sua noiva, mas também para refazer a criação como um todo:

> Vejam, eu venho em breve! Felizes aqueles que obedecem às palavras da profecia registrada neste livro. [...]
> Vejam, eu venho em breve e trago comigo a recompensa para retribuir a cada um de acordo com

seus atos. Eu sou o Alfa e o Ômega, o Primeiro e o Último, o Princípio e o Fim.

Apocalipse 22.7,12-13

Agora é a hora do Espírito e da Igreja responderem à grande notícia da volta do Cordeiro:

O Espírito e a noiva dizem: "Vem!". Que todo aquele que ouve diga: "Vem!". Quem tiver sede, venha. Quem quiser, beba de graça da água da vida.

Apocalipse 22.17

O solo volta novamente para Jesus, o que leva a Igreja dizer em uníssono na sequência:

Aquele que é testemunha fiel de todas essas coisas diz: "Sim, venho em breve!".
Amém! Vem, Senhor Jesus!
Que a graça do Senhor Jesus esteja com todos.

Apocalipse 22.20-21

A palavra aramaica *Maranata* foi traduzida por "Vem, Senhor!". Ela se tornou uma fórmula utilizada nas liturgias dos cultos dos primeiros cristãos. O coração de todos se unia para declarar: Vem, Senhor Jesus! Vem habitar em nosso meio para que sua Presença erradique toda inveja e ciúme do coração humano. Vem, Senhor Jesus! Traga toda a vida pela qual tanto ansiamos. Vem, Senhor Jesus! Sacie o profundo desejo do nosso coração. Vem, Senhor Jesus!

Considerações finais

A Bíblia, o Livro de Deus, ilumina a vida. O salmista afirma que a luz de Deus, que tem sua fonte na verdade, vai lançando claridade sobre nosso caminho. À medida que vamos caminhando na vida, a luz do Livro de Deus abre um clarão diante de nossos pés.

Além disso, a Bíblia Sagrada ilumina nosso ser interior. Se o coração for iluminado, a vida reluzirá.

O belo salmo 139 é eloquente em expor o caráter iluminador da verdade de Deus. O salmista pede a Deus que lhe revele seus caminhos maus para que o adorador se arrependa e seja curado.

A Bíblia, o Livro dos livros, direciona suas intenções narrativas para a Palavra, Jesus Cristo. Ele é a força de atração das palavras sagradas contidas nas Escrituras. A Palavra organiza cada sílaba conferindo sentido maior às narrativas sagradas.

Cada um de nós, no final das contas, procura um modelo de vida para seguir. A publicidade já percebeu há muito tempo essa verdade. Não à toa, quando procura vender alguma marca de roupa ou qualquer outro produto, recorre a uma "celebridade" a fim de conferir valor à marca. Nós pensamos: "Se tal pessoa, destacada como é na sociedade, consome este produto é porque deve ser bom mesmo". Mais que isso. Queremos ser como a pessoa da propaganda. Desejamos que a vida dela seja um pouco a nossa. Queremos uma espécie de simbiose com ela. Sim, é o que fazemos. Compramos a roupa ou o celular para nos parecermos com aquela pessoa, supostamente mais feliz do que nós somos. Três meses depois, o desejo volta a latejar em nosso peito. Continuamos em nossa busca incessante pelos modelos que conferirão valor à nossa existência. O resultado é a exaustão. É quando paramos para ler com olhos atentos e coração sedento as Escrituras Sagradas.

A Bíblia inteira nos conduz na direção de seu personagem maior. Jesus Cristo é apontado como o protótipo de ser humano. Ele, sim, é o modelo maior. É Jesus que, inconscientemente, nossa alma tanto busca. O Filho de Deus é, nas palavras de Agostinho de Hipona, o amado de nossa alma. Ele deseja ser *um* conosco.

Para entender os contornos de nosso modelo de vida, precisamos de toda a Bíblia. Jesus é um personagem tão complexo e grandioso que foram necessários 66 livros para explicá-lo. Ainda assim, nossa alma não consegue reter tudo porque é profundo demais para meros mortais como nós.

Nenhuma parte das Escrituras Sagradas deve ser desprezada. A Bíblia, como peça literária única, precisa ser lida como um livro só. Caso negligenciemos alguma porção desse grandioso livro, perderemos de vista o que estava no coração do grande Autor.

Leia a sua Bíblia com o coração disposto a ser visitado pela graça de Deus. O Senhor quer nos fazer enxergar quem ele é para que, como consequência, possamos enxergar quem nós somos. Só é possível obter um conhecimento profundo de nós mesmos se nos abrirmos para abraçar o conhecimento de Deus. Como também disse Agostinho, Deus é mais íntimo de nós do que somos de nós mesmos.

Ver a Deus, pela mediação da Bíblia Sagrada, é enxergar nossa própria condição de perdidos e amados, ao mesmo tempo.

Quero concluir esta breve jornada com as palavras de alguém que conhecia os clássicos de sua época, mas que, ao deparar com o clássico maior, se viu sendo curado de sua cegueira. Com a palavra, Agostinho de Hipona:

> Onde estava aquela edificação do amor a Deus construída sobre o fundamento da humildade, ou quando deveriam aqueles livros [dos platônicos] me ensinar isso? Eu creio que tu quiseste que eu me debruçasse sobre eles, antes de estudar as tuas Escrituras, para que ficasse impresso em minha memória o modo como eles me afetaram e para que, depois, quando eu fosse dominado pelas tuas Escrituras e quando minhas feridas fossem tratadas por tuas mãos que curam, eu pudesse distinguir entre presunção e a contrição; distinguir entre aqueles que viam para onde deviam ir, mas sem enxergar o caminho, e o caminho que conduzia não apenas a contemplar o país abençoado, mas também a morar nele. Pois se eu primeiro me formasse em tuas Sagradas Escrituras, e se tu, em minha familiarização no uso delas, as tivesses tornado atraentes para mim, e se eu, em seguida, me tivesse debruçado sobre aqueles outros volumes, eles tivessem afastado do sólido chão da piedade; ou então, se eu tivesse continuado naquela estrutura mental que tinha adquirido neles, poderia ter

pensado que ela fora adquirida apenas por meio daqueles livros.[1]

Querido leitor, após esta exposição da centralidade da Bíblia Sagrada o que você deve fazer, simplesmente, é correr para a sua Bíblia e lê-la com o espírito renovado. Percorra as páginas das Sagradas Escrituras com o coração disposto a ser encontrado pelo Autor e Personagem principal. Certamente ele convidará você a fazer parte das narrativas de dor, sofrimento, cura, redenção, paz e alegria encarnadas e encenadas pelos personagens bíblicos. Apenas aceite. Entre e participe. Tal qual Agostinho de Hipona, que teve o coração iluminado e curado ao ler a Palavra de Deus, você também terá a vida transformada e a consciência ancorada na Nova Vida.

Não rejeite as palavras desta Lei, siga o bom exemplo dos salmistas. Tudo o que a Escritura previu se cumprirá, como Jesus Cristo sentenciou. Se necessário, "coma" a Palavra, a exemplo do que fizeram os profetas. Não se envergonhe

---

[1] Agostinho, *Confissões* (São Paulo: Mundo Cristão, 2017), p. 143-144.

do evangelho, pois é o poder de Deus para nos transformar, como nos ensinou o apóstolo Paulo. Deseje, como um bebê anseia pelo leite materno, as Palavras eternas, tal qual fez o apóstolo Pedro. E, jamais, queira acrescentar ou subtrair alguma palavra contida nas Escrituras Sagradas, como o grande João de Patmos nos alertou.

Sobre o autor

Rivanildo Segundo Guedes é bacharel em Teologia pelo Seminário Bíblico Palavra da Vida, mestre em Ministério pelo Seminário Bíblico Betel Brasileiro, doutor em Liderança Pastoral pela Florida Christian University, graduado em Liderança Avançada pelo Instituto Haggai do Brasil, mestre em Ciência da Religião e doutor em Ciência da Religião pela PUC-SP, e Personal and Professional *Coach* pela Sociedade Brasileira de *Coaching*. É pastor titular da Igreja Batista Unida do Brás, em São Paulo. É casado com Ruth Guedes e pai de Rebeca e Rafael.

Obras da Curadoria Sementes:

- *A espiritualidade de Jesus*, de Tiago Abdalla
- *Amizade*, de Tiago Abdalla
- *Avivamento transformador*, de Leandro Silva
- *Doidos por discernimento*, de Tiago Cavaco
- *Igreja revitalizada*, de Leandro Silva
- *Mulheres da Bíblia em literatura de cordel*, de Gilmara Michael
- *Neocalvinismo*, de Tiago de Melo Novais
- *No princípio Deus poemou*, de Oseas Heckert
- *O legado de um líder*, de Douglas Lamp
- *O protagonismo da Bíblia*, de Estevan F. Kirschner
- *Sermão expositivo*, de Jubal Gonçalves